ASESINATO A LA LUZ DE LA LUNA

UNA COLECCIÓN DE RELATOS CORTOS

DIANA RUBINO

Traducido por
NATALIA STECKEL

CONTENIDO

RECUERDO

Un proyectil de mortero cayó al suelo y explotó. Un destello cegador encendió el cielo nocturno, e iluminó cinco rostros sorprendidos dentro de la vieja granja.

El segundo proyectil impactó directamente, e hizo temblar la casa hasta sus cimientos. Mientras los escombros se esparcían por todas partes, la fuerza explosiva astilló la mesa de madera. Mapas, documentos, libros y ordenadores volaron por la habitación.

Los hombres se apresuraron a buscar sus armas; todos, menos Hani Terif, quién buscó frenéticamente un objeto vital entre los escombros.

«¡Déjame encontrarlo, por favor!», suplicó.

Mientras rebuscaba entre los trozos de madera, papel, plástico fundido y metal, su entrenado oído distinguía cada sonido; incluso por encima de sus propias armas, que escupían y tosían. Los morteros se disparaban en la distancia. Los proyectiles rechinaban por encima del sonido ronco de los rifles automáticos de fabricación estadounidense. Cuando las ametralladoras de calibre cincuenta parecían hacer gárgaras con los disparos, él se quedó helado. Eso significaba una cosa: comandos israelíes; demasiados para luchar contra ellos. Debían escapar ya, o enfrentarse a una muerte segura.

Con sus anticuadas armas rusas y sus limitadas municiones, él y sus compañeros de Infiltración Mortal no tenían ninguna posibilidad contra sus atacantes. Los comandos israelíes (los soldados mejor entrenados de ese lado del mundo) se acercaban rápidamente. Los hombres de Hani, con una esperanza de vida posiblemente reducida a un puñado de segundos, se abrieron paso, gateando, arrastrando sus piernas heridas o cojeaban, con los brazos colgados de los hombros de sus compañeros.

—¡Reúnanse conmigo en la casa de seguridad de Infiltración Mortal, en las afueras de El Cairo, en dos semanas! —Ordenó Hani a sus hombres—. Detendré al enemigo el mayor tiempo posible.

Los misiles retumbaban sobre su cabeza en una espantosa andanada. Sus músculos se tensaron. Sabiendo que nunca oiría el disparo que lo mataría, se estremeció. Los demás salieron hacia la noche, al amparo de sus disparos de ametralladora. Las balas israelíes pasaban zumbando alrededor de sus pies. Él siguió escudriñando la habitación en busca del valioso Corán. Finalmente, sus agudos ojos lo vieron metido bajo una esquina de la alfombra. Agradecido por su aguda vista, saltó por la habitación para tomar el pequeño libro forrado en cuero.

Huyó del edificio cuando una explosión lo hizo saltar por los aires. Al ver a sus compañeros de armas convertidos en fragmentos de hueso y manchas de sangre, Hani se dio cuenta de que era el único superviviente.

~

El 747 de British Airways se dirigía a Londres con su carga de turistas estadounidenses, visitantes británicos ansiosos por volver a casa, viajeros inquietos que volaban por primera vez y una agradable tripulación. El grupo de Lassiter Tours viajaba en clase turista; seis estadounidenses de distintas edades y procedencias, a punto de embarcarse en su viaje relámpago por Egipto.

Acomodado en un asiento de ventanilla, el doctor Lawrence Everett, profesor de Estudios del Patrimonio, en la Universidad Estatal de Plymouth, leía una tesis en su iPad. Sentada junto a él, su mujer, Janice, articulaba en silencio un Ave María con un rosario entre los dedos.

El profesor Everett notó la cabeza inclinada de su esposa.

—Cariño, ni siquiera hemos despegado. —Por si acaso, echó mano de la bolsa forrada de plástico que había en el bolsillo del asiento delante de ella.

—¡Vaya, por fin nos movemos! —Jeff Sullivan, el pasajero a la derecha de Janice Everett, le dio un codazo—. Ahora estamos de camino a nuestra primera parada por combustible: Heathrow, Londres —, dictó en una grabadora digital. —Desde allí seguiremos hasta El Cairo, Egipto. El origen de todo el genio conocido por la humanidad...

Al otro lado del pasillo, en los tres asientos centrales, estaba la familia Russo, nacida en Brooklyn: Dominic, de barriga amplia; su esposa, Anna María, preocupada por la salud; y su hija, Carmella, de veintidós años, que leía Yoga Journal. Ese viaje era una celebración de la segunda oportunidad de Carmella en la vida.

El avión se adentró en las nubes, a punto de dejar su estela a lo largo del Atlántico.

El grupo de Lassiter Tours llegó a El Cairo Hilton a tiempo para una cena tardía. Tras la comida apresurada en el restaurante del hotel, llegó el guía turístico.

—Buenas noches. Soy Yasar Massri. Soy

estudiante de arqueología egipcia y seré su guía durante las próximas dos semanas. —Los viajeros se reunieron en el vestíbulo del hotel mientras Yasar les explicaba brevemente la historia de Menfis, su primera parada a la mañana siguiente—. Por favor, estén aquí en el vestíbulo a las ocho y treinta para subir a nuestro autobús —, pidió para terminar su perorata de instrucciones—. El desayuno se servirá a las ocho.

Mientras la multitud se dirigía a los ascensores, Carmella se acercó a Yasar, que estaba entrando en el salón.

—Pareces todo un erudito sobre el mundo—Soltó las palabras sin aliento por la emoción. —Estoy deseando ver Egipto.

—Supongo que nunca has estado aquí antes—. Se acercó a ella, acortando la respetable distancia.

—No, nunca. Este es un viaje muy especial para mí. Una verdadera celebración. Siempre me ha fascinado la historia egipcia y el misterio de las pirámides: cómo están construidas con tanta precisión, alineadas con las estrellas. Ciertamente, tienen una historia de la que estar orgullosos.

Él mostró una amplia sonrisa.

—Bueno, gracias. Estamos orgullosos.

—Siempre que viajo, me aseguro de conocer a los lugareños. Especialmente, a los guías turísticos—. Ella hizo una pausa para provocar un efecto... y para tomar aire. — ¿Te gustaría sentarte en el salón y hablar un rato? Incluso tomaré notas—. Sacó su iPad del bolso para mostrárselo.

—Será un placer—. La condujo al salón, donde tomaron asiento en una acogedora mesa de la esquina. Él pidió una cerveza, y ella, un zumo de naranja. —Hablando de historia, mira esto—. Sacó un pequeño libro de cuero del bolsillo y se lo mostró.

Ella se quedó mirando con asombro mientras él se lo colocaba en la palma de su mano.

—Es tan antiguo y frágil... ¿Se encontró en la tumba de un faraón o algo así?

Él rio por lo bajo.

—No, es un Corán. Lo compré en una subasta esta mañana. De alguna manera, sobrevivió a una batalla entre comandos israelíes y terroristas en la antigua granja de Bishara, hace unos meses.

Ella lo abrió y pasó un dedo por el interior de la cubierta.

—Está tan desgastado y... ¿qué es lo que está escrito aquí?

—No estoy seguro. Tengo que estudiarlo más de cerca—. El camarero les sirvió las bebidas. Yasar dio un sorbo a su cerveza.

—¿Pagaste mucho por él?, si no te importa que te lo pregunte—. Lo abrió en una página al azar y recorrió con la mirada la antigua escritura extranjera.

—Unos cien dólares estadounidenses. Los otros postores habían sido curiosos del pueblo, demasiado asustados por los terroristas de Infiltración Mortal como para pujar siquiera por los pocos objetos intactos. Como si fueran a matar por los restos de su chatarra —, expresó riendo.

—Bueno, ciertamente, es algo que hay que atesorar—. Ella sostuvo el precioso objeto entre dos dedos y lo puso en las manos de él.

—Sé que me protegerá de cualquier daño. Suena supersticioso, pero ese es el sentimiento que tengo sobre él, desde el momento en que lo vi—. Lo abrazó y se lo llevó al corazón.

Carmella sonrió.

—Oh, lo sé todo sobre eso. Nadie es más supersticioso que los italianos de otra época. He visto a ancianos echar el Malocchio, el mal de ojo, cuando tienen algo contra alguien—. Lo señaló con el dedo índice y el meñique.

—Espero que eso no signifique que me lo hayas echado a mí—. Se protegió el rostro con su Corán, riendo.

—En absoluto—. Ella rodeó su vaso con la mano. —Nunca le deseo el mal a nadie. Es un mal karma. Lo sabes todo sobre eso, ¿no?

Él asintió con la cabeza.

—Oh, sí. Respeto a Dios, lo adoro y le temo. Y le temo a su ira. Si lo llamas karma, que así sea.

Eso le produjo un escalofrío a ella.

—Hablemos de algo agradable, como vuestra historia . No puedo esperar a ver las pirámides y todos los artefactos antiguos.

Pasaron la velada charlando sobre historia, arte y libros. Ella perdió la noción del tiempo.

Qué tipo tan agradable,pensó ella, volviendo a su habitación de hote. Espero que esté en Facebook. Vale la pena conocerlo mejor.

A la mañana siguiente, un autobús esperaba frente a la entrada principal de El Cairo Hilton mientras Yasar urgía a los turistas estadounidenses a terminar su desayuno:

—Ahora debemos subir al autobús, amigos. Es hora de salir.

Mientras todos se terminaban el café de un trago y se apresuraban a salir por la puerta, Dominic Russo envolvió los croissants restantes en una servilleta y se los metió en el bolsillo con paquetes de gelatina. El autobús arrancó y se dirigió hacia Menfis, aunque se detuvo brevemente para que Yasar y el conductor pudieran ponerse de cara a la Meca y rezar. Yasar no sería el único musulmán a bordo y se esperaba que todos atendieran la llamada a la oración.

Multitud de turistas rodeaban la enorme estatua de Ramsés II, tumbada de espaldas dentro de una estructura parecida a un cenador. El teléfono móvil de Yasar sonó, y él miró la pantalla.

—Por favor, permanezcan juntos, amigos, volveré en un momento—, indicó al grupo. Se fue corriendo a atender la llamada. Los turistas siguieron contemplando la estatua y el cartucho ,el diseño de forma rectangular con el nombre de Ramsés en jeroglífico. Al cabo de diez minutos, solo Carmella se dio cuenta de que Yasar no había regresado.

—¿Dónde está Yasar?—Una punzada de miedo la atravesó. Sabía lo peligroso que era Oriente Medio. Habían hecho ese viaje en contra de la advertencia del Departamento de Estado de mantenerse alejados. Sus ojos se movían de un lado a otro mientras salía corriendo y se bajaba las gafas de sol, buscando al guapo guía turístico.

Momentos después, apareció un policía con algo en la mano. Sus ojos entrecerrados escudriñaron a la multitud. Para su creciente horror, Carmella vio que sostenía un distintivo amarillo brillante de un grupo turístico. El corazón se le subió a la garganta cuando el agente vio la placa a juego que llevaba Carmella en el pecho. Ella se tambaleó y estuvo a punto de desmayarse cuando el agente se acercó a su grupo.

—Damas y caballeros—, tartamudeó en un inglés vacilante—. Su guía turístico, Yasar… está muerto.

Carmella rompió a llorar. Dominic Russo cerró la mandíbula sobre el croissant que había estado masticando. Janice Everett dio un grito ahogado y se arrodilló para rezar.

Dominic se acercó al policía.

—¿Cómo murió?

Jeff Sullivan buscó su grabadora digital en el bolso.

—Aparentemente, fue un envenenamiento.

—Es esta agua... el agua de aquí, ¡nos dijeron que no la bebiéramos!—Anna María Russo se metió en la boca dos pastillas de vitamina C.

—Señora, el agua de aquí es veneno solo para los extranjeros—, explicó el oficial. —Yasar era egipcio.

—¡Entonces, fue la maldición del faraón! —gritó Janice Everett, apretando las cuentas de su rosario desgastado.

Paralizada por la conmoción, Carmella siguió al grupo hasta el autobús, y se sentó en un silencio aturdido durante todo el camino de vuelta a El Cairo.

Solo había pasado unas horas de su vida con Yasar, pero había disfrutado mucho de su compañía. Un pensamiento repentino la hizo estremecer: él había estado tan seguro de que el pequeño Corán lo protegería de cualquier daño...

¿Acaso ese libro andrajoso estaba maldito de alguna manera? Se sacudió el horrible pensamiento de su mente. Eso sí que era una superstición de otra época.

~

Un detective llegó al hotel después de la cena para entrevistar al grupo de turistas y tomarles declaración. Cuando les dio las gracias y se marchó, ella no contribuyó a la indignada queja de su grupo:

—¿Qué se cree que somos?, ¿asesinos?

—¡Cómo se atreve a hablar así a los estadounidenses!

—¡Ojalá tuviera aquí a mi abogado!

A la mañana siguiente, llegó al hotel un guía turístico de reemplazo; otro estudiante egipcio llamado Samir.

—Yasar y yo habíamos sido buenos amigos—, le contó al grupo, con sus ojos oscuros rebosantes de lágrimas. —Estoy profundamente apenado por su prematura muerte.

Las magníficas pirámides se alzaban por delante, elevándose en el cielo azul sin nubes. La antigua Esfinge se agazapaba en la arena. Samir condujo a los viajeros a pie hasta la pirámide del rey Khufu, mientras los camellos trotaban a su lado y sus jinetes les ofrecían tomarles una foto por solo veinte dólares.

—Si alguien tiene claustrofobia, que se quede fuera en lugar de enfrentarse al oscuro y estrecho pasillo del interior de la pirámide—, advirtió Samir.

Carmella optó por quedarse fuera. Los demás viajeros entraron en la tumba, se agacharon y desaparecieron en el interior. Samir se volvió hacia La Meca y rezó.

Veinte minutos después, los turistas salieron. Pero Samir no aparecía por ningún lado.

—¿Dónde está Samir?— Preguntó el profesor Everett limpiando sus gafas con un paño de lustrar zapatos del hotel.

A Carmella se le fue el alma al suelo. Buscó en los rostros atormentados de sus compañeros. Oh, no. Una inquietud ominosa se cernía sobre el grupo como un nubarrón.

Una ambulancia se detuvo con un chirrido junto al autobús turístico. Dos camilleros dieron la vuelta a la Pirámide y regresaron con un cuerpo envuelto en una sábana manchada de sangre. Al igual que la última vez, un policía que lo seguía llevaba en la mano una conocida placa amarilla, pero esa estaba ensangrentada.

A Carmella se le doblaron las rodillas. Sollozaba, no solo por el dolor de los dos asesinatos sin sentido, sino también por el miedo que la apuñalaba como una daga.

No pudo evitar preguntarse: ¿Quién será el siguiente?.

—Tenemos que encontrar un cura—, sugirió Janice Everett llorando, mientras Jeff Sullivan informaba de las noticias en su grabadora.

Una vez más, un detective entrevistó al grupo y tomó notas. Esa vez estaban demasiado atónitos para quejarse o para desear abogados. Se sentaron, con expresiones congeladas, mirándose unos a otros. Parecía que nadie quería levantar más sospechas al ser el primero en levantarse e irse.

Entonces, Carmella se levantó. Al fin y al cabo, ella sabía que era inocente.

—Espero que descubran quién cometió estos horribles crímenes—, declaró. —Buenas noches, amigos—. Asintió hacia sus padres, se dio la vuelta y entró en el bar para tomar algo bien fuerte.

~

—Soy Antonio Calabrese, su nuevo guía turístico, y mañana nuestra primera parada será el Museo de El Cairo. —El italiano de pelo ondulado saludó a los viajeros estadounidenses en el salón del hotel esa misma noche. Continuó repasando la historia de la tumba de Tutankamón, descubierta en 1922 por Howard Carter, y las numerosas muertes atribuidas a la "maldición" del faraón. —Pero eso es pazzo—. Sonriendo, rodeó con un dedo el costado de su cabeza. —Las maldiciones no existen.

Los demás asintieron con la cabeza, y se unieron a él en la risa y el ridículo, y lo descartaron como una locura. Para Carmella, sus risas sonaban huecas y forzadas, como si se esforzaran por olvidar el horror de los días anteriores.

Carmella no se rio. No era que creyese en las maldiciones: su mente pensaba en otra cosa. Algún instinto de otro mundo le decía que había conocido a Antonio antes. Tal vez no en esa vida, pero se sentía tan atraída por él que intuía que compartían una poderosa conexión cósmica. ¿Eran parientes? Bueno, con toda la endogamia que había en el sur de Italia, un apellido común era la última forma de descubrir parientes.

No tenía ningún Calabrese en su árbol genealógico, pero eso no significaba nada. Con toda probabilidad, compartían la misma línea de sangre. Su voz interior le repitió tantas veces «te conozco» que empezó a articular esas palabras en silencio mientras él se dirigía al grupo.

Antonio escudriñó cada rostro, y por un instante, sus ojos se encontraron con los de ella. Él apartó la mirada, pero ella la mantuvo fija.

Carmella cruzó las piernas, balanceando el pie de un lado a otro. Unos minutos después, él volvió a mirar en su dirección, la vio y le guiñó un ojo. Ella sonrió. Él apartó la mirada. Ella observó todos sus movimientos. Él hacía elaborados gestos con las manos, típicamente italianos, mientras describía la historia con celo y pasión. En los altavoces del salón, sonaba una canción de rock con un ritmo constante. Ella empezó a balancearse al ritmo de la música.

Golpeteaba su pie. Sus cuerpos se movían al ritmo exacto del otro. Sus ojos se volvieron a encontrar.

Esa vez se quedaron clavados unos en los otros.

Después de la cena, los padres de Carmella fueron al salón a tomar un cóctel, pero ella se quedó en la habitación para ponerse al día con sus redes sociales. A eso de las nueve, oyó que llamaban a la puerta. Esperando a sus padres, la abrió, pero dio un paso atrás, sorprendida.

—¡Vaya, esto es lo que yo llamo servicio de habitaciones!

—Ciao, Carmella.—. El pelo de Antonio Calabrese hacía juego con sus ojos, de un color marrón chocolate intenso, con la tez bronceada por el sol del sur de Italia. No era mucho más alto que ella, pero su complexión demostraba que cuidaba lo que tenía. —He querido conocerte y... bueno, espero no molestarte—. Miró por encima del hombro de ella hacia la habitación. —Tus padres me dijeron que subiera. Espero no ser demasiado atrevido. Me advirtieron que eres una chica dura de Brooklyn, aunque no es que tenga intenciones impuras...

Ella dio gracias a Dios por no haberse puesto esos horribles rulos eléctricos rosa que arrastraba a todas partes. Mantuvo la puerta abierta para que él entrara.

—Nunca puedes ser demasiado atrevido, Antonio. Tenemos mucho de qué hablar—. De alguna manera, ella sabía que eso no lo haría salir corriendo. No era un encuentro casual. Esa era la primera noche del resto de su vida juntos. —Por favor, entra.

—Grazie—. Se acomodó en una silla de la sala de estar.

Ella se sentó en el sofá, a una distancia respetable.

—El universo está moldeando el destino de ambos en este mismo momento, ¿sabes?—, le informó ella; algo extraño para decirle a alguien que conocía desde hacía veinte minutos, pero era totalmente apropiado... y cierto.

—Yo también lo percibí cuando conectaste conmigo antes, en el salón. Si no, no estaría aquí—. Su voz tranquilizadora acarició los oídos de ella.

—Siento no haberme presentado antes, pero tenía que estudiar. Estoy haciendo un máster en Historia del Arte y Arqueología, y combino las visitas entre las clases y los exámenes—. Se sentó y cruzó el tobillo sobre la rodilla.

—Bueno, yo también. Estoy estudiando un máster en Historia de la Mujer en la Universidad de Nueva York. Aunque, en el fondo, soy una artista. Una escritora, pero lo llamo arte.

—Yo también soy un artista. Pinto al óleo—. Miró el iPad de ella. — Si puedes hacer eso más tarde, ¿por qué no bajamos al salón a tomar algo?

—¿Qué tal si vamos a un lugar donde no tengamos que sentarnos con mis padres? —Ella se levantó y cogió su chaqueta. —¿Conoces algún lugar a donde podamos escabullirnos?

Se metería en una de las pirámides con él si estuviera abierta. Cualquier cosa para que sus almas se fundieran y conectasen de la forma en que estaba destinado a ser.

Sentados en una mesa de madera para dos personas, en un bar poco iluminado, con un zumo de naranja delante de ella y una copa de vino delante de él, Antonio abrió la conversación con muy poca timidez.

—Entonces, ¿te abstienes esta noche?, ¿o es parte de un desayuno temprano?

—No—. Ella bebió un sorbo de su zumo. —Es algo permanente: no bebo en absoluto.

Antonio tocó la cadena que llevaba al cuello, de la que colgaba una cabeza de Cristo de oro.

—Bebo vino y cerveza, pero no me drogo. Sé que todo el mundo tiene un... —, buscó una palabra.

—Vicio.

Él asintió con la cabeza.

—Ah, sí. ¿O tal vez una peculiaridad? —Tomó un sorbo de vino. —¿Por qué no bebes?, ¿te sienta mal?

—No, es más profundo que eso: mi mejor amigo murió en un accidente de coche. Lo atropelló un conductor borracho—. Habló con libertad, sin romper a llorar. No era doloroso hablar de eso con él. Le resultaba catártico compartir una de sus trágicas pérdidas. Más tarde compartiría mucho más. —Pero sigue adelante y bebe. Solo no te excedas.

Su primer encuentro y ¡ya le estaba dando órdenes! Pero se le escapó con la misma naturalidad con la que pronunciaba su nombre. Él rio, mostrando su sonrisa brillante como la luz de la luna.

—Obedezco, Consigliere.

—Es por tu propio bien. Me...— Estuvo a punto de decir: «Me importas», pero cerró la boca, y cortó esa confesión. Nunca había experimentado el amor a primera vista, pero ya lo sabía: era una conexión poderosa. Ella y Antonio Calabrese habían compartido un viaje lejano.

Antonio se quedó mirando su copa de vino, como si mirara una bola de cristal. Levantó la cabeza y sus ojos se encontraron.

—¿Visitaste Salerno el pasado mes de abril?

—No, pero fui a Roma y a Milán el verano anterior. ¿Por qué?

—Nada, yo...— Él agitó el vino en su vaso; sus ojos aún estaban fijos en ella. —Me pareció verte allí entonces. Podría jurar que te vi. Si no eras tú, tienes una gemela.

—Se supone que todos tenemos un doble—. Pero ¿un doble de él? Bueno, tal vez al sur de Roma... Él le guiñó un ojo y sus mejillasse encendieron. —Te lo voy a soltar, Antonio. No nos hemos visto nunca, ni en Italia, ni en esta vida, pero te conozco. Verás lo que quiero decir a medida que continúe el viaje. No quiero decir nada más ahora porque deja demasiado espacio para la duda, pero al final del viaje, te darás cuenta de que lo que digo es la pura verdad.

—Ya lo sé—. Él le agarró la mano sobre la mesa. —Hablemos de ti. ¿Qué hiciste en Roma y Milán ese verano?

—Tengo parientes en Formello. Los visito todos los años si puedo. Hacemos viajes por toda Italia y el resto del continente. Esperaba encontrarte en uno de esos viajes.

—Y nos encontramos en Egipto. ¿Qué tan extraño es eso?— Sacudió la cabeza, con una sonrisa soñadora en los labios.

—No es nada extraño. Todo lo contrario—, replicó ella, estudiando sus hoyuelos. —Porque nuestros caminos estaban destinados a cruzarse—. El delicado sorbo de zumo que tomó se convirtió en un trago. Ella escupió.

—¿Estás bien?— Él se inclinó hacia delante.

—Sí, solo...— Tosió y se aclaró la garganta. —Bajó por el camino equivocado. Estas vacaciones han sido una cosa irreal tras otra. Quiero decir, tú y yo encontrándonos aquí, y yo con esta sensación de déjà vu.

—Si tú lo dices...— Él sonrió y se alisó el pelo. —No puedo decir que sienta que te he conocido antes. No conozco a chicas hermosas como tú muy a menudo. De hecho, casi nunca.

Ella murmuró un «gracias» entre más sorbos.

—Me encantaría ver algo de tu trabajo—, planteó él. —¿Qué tipo de material escribes?

—Biografías. Iba a escribir género de ficción, pero me quedé con la historia. Estoy investigando a Lucrecia Borgia.

—Debemos ver el trabajo del otro.

Un torrente de emociones (asombro, afecto, los inicios del amor...) recorrió su corazón, y la llenó de cariño.

—Oh, sí, sí —susurró ella—. Y soy una gran aficionada al arte. ¿Qué tipo de pinturas haces?

Los ojos de Antonio no se apartaron de los de ella.

—Hoy en día, retratos de egipcios ricos.

Ella detuvo su vaso a medio camino de la boca.

—¿Por qué?

—Bueno, es contra todo pronóstico por lo que he venido a vivir aquí. Cuando vivía en casa, pintaba paisajes al óleo. Intenté presentar mis cuadros en exposiciones de arte, intenté venderlos en galerías, tiendas, en cualquier sitio. Nadie los quería. No podía regalarlos. Así que, tras varios años de rechazo tras rechazo, y de crueles burlas por parte de todos, incluida mi propia familia, me rendí—. Soltó un suspiro. —Tiré mis cuadros a la basura. Una rica egipcia de vacaciones pasó por delante de mi casa y vio mis cuadros en la basura. Llamó a mi puerta y me dijo lo mucho que admiraba mi trabajo. Me contrató para pintar paisajes de Egipto.

—¿Cómo ibas a hacerlo si nunca habías estado aquí?

Él sonrió.

—Ella me trajo aquí. Ahora trabajo para ella, su familia y sus amigos, pintando amaneceres y atardeceres egipcios, barcos en el Nilo, las pirámides, la Esfinge y todos los demás grandes lugares. He ganado lo suficiente para continuar mi educación aquí. La guía turística es una forma fácil de ganar créditos para mi maestría—, Le hizo un gesto con la cabeza. —Por eso estoy aquí, contra todo pronóstico. Porque un alma benévola encontró mi trabajo en la basura y creyó en mí.

Ella dejó escapar un silbido bajo.

—Vaya, qué historia. Ahora me toca a mí. Yo también estoy aquí contra todo pronóstico.

Él levantó las cejas, y sus ojos se iluminaron.

—Y, por supuesto, necesito conocer tu historia ahora que he compartido la mía.

—Mi amigo Pete tenía licencia de piloto privado. Fuimos a dar un paseo en su Piper Saratoga. Se estrelló—. Su voz vaciló.

—Oh, dio —, susurró él.

—Mal funcionamiento mecánico, algo... Él murió. Yo sobreviví. Tuve algunas heridas graves, pero sobreviví. Cuando estaba recuperándome en el hospital, soñé con él. Siempre quiso venir aquí, siempre bromeaba con que su avión no llegaría a Egipto, pero en el sueño me pedía que viniera aquí por él. Así que aquí estoy. Celebrando mi segunda oportunidad en la vida. No lo llamo un roce con la muerte.

—Entonces, estás aquí por una razón predestinada —, afirmó él asintiendo.

—No, estoy aquí por dos razones predestinadas. Estaba destinada a conocerte. Y nada va a arruinar eso. Pero...— Se estremeció cuando una punzada de miedo le atravesó las entrañas. Dios, por favor, no dejes que tenga un final trágico como el de los dos últimos guías. Respiró profundamente antes de soltar: —Espero que sepas lo que les ha pasado a nuestros dos últimos guías. Los rumores van desde crímenes pasionales hasta la maldición del faraón. Ya no sabemos qué pensar—. Le temblaba la voz. Apretó los puños para evitar que el cuerpo le temblase.

—No me preocupa—. Sonrió él, con los dientes blancos, que brillaban contra la piel bronceada.— Estoy a salvo de cualquier maldición egipcia, soy italiano.

—Eso es bastante displicente—. Ella temblaba mientras el miedo se negaba a dejar de cernirse sobre ella. —Creo que las maldiciones son una tontería, pero sí creo que la mala energía es dañina... y mortal. Lo que alguien considera una maldición puede ser simplemente una mala energía o una entidad maligna que quiere hacerte daño. Mientras haya energía buena, también debe haber mala—. Su voz se estabilizó al hablar y se calmó un poco. —Pero tú

22

pareces ser muy... sensato—. Ella lo miró a los ojos y vio la inteligencia que había allí. No, este tipo no cree en las maldiciones, ni siquiera en el karma, pensó con una sonrisa secreta.

Esos ojos inteligentes se iluminaron.

—Esa es una palabra perfecta, sensato. A mí siempre me han dicho que soy práctico. La misma diferencia, supongo—. Él miró su reloj, y ella regresó de golpe a la Tierra; las limitaciones del tiempo rompieron la magia de su encuentro. —Tengo que estudiar un poco más, cara.

—El tiempo es una invasión de la privacidad. Una interrupción tan grosera... — expresó con la voz cargada de decepción.

—Tengo un examen próximamente. Pero ¿te gustaría que nos viéramos en el salón mañana por la noche? — Su acento sensual hacía imposible rechazar cualquier cosa que le pidiera.

—Por supuesto. Está destinado a ser—. Las palabras salieron antes de que ella se diera cuenta de que sonaba dramática. —Quiero decir, no hay razón para que no nos encontremos mañana.

—A las nueve está bien—. Una sonrisa se dibujó en los labios de él.

Carmella podría haber subido flotando a su habitación sin necesidad del ascensor.

Por supuesto, buscó su nombre en Google nada más entrar por la puerta. Comprobó Facebook y Twitter. Era uno de los muchos Antonio Calabrese que había en el mundo, pero no aparecía en la búsqueda de Google ni en ninguna red social.

Se toma en serio eso de estudiar, pensó ella mientras tuiteaba sobre el fabuloso viaje que estaba teniendo... menos los dos asesinatos.

~

Los turistas se quedaron boquiabiertos ante los tesoros conservados de Tutankamón: su cama, sus carros y sus objetos personales, como sandalias, joyas y guantes. Contemplaron la magnífica máscara mortuoria de oro. Anna María Russo dejó en un rincón una botella de zumo de tomate y una barrita energética como provisiones adicionales para la vida de ultratumba del rey.

Antonio permanecía ileso, pero Carmella observaba cada uno de sus movimientos, rezando por su seguridad y por la suya propia. Pero no podía calmar el miedo de que hubiera una antigua maldición sobre sus guías. Más bien, alguien quería atrapar a sus guías. Alguien que no necesitaba ninguna maldición para haber tenido éxito dos veces ya.

~

Demasiado estresada y nerviosa para volver a su habitación, Carmella fue al salón del hotel después de que sus padres se habieran retirado a dormir. Se sentó en la barra curvada mirando la foto que había tomado de Antonio con su teléfono móvil ese mismo día. No podía quitárselo de la cabeza. Cuando pasó el camarero, pidió un zumo de naranja y se dio cuenta de que un hombre bien vestido la miraba, a un asiento de distancia.

Él pidió una bebida. Bajo las tenues luces, su cabello oscuro brillaba, irradiando un halo de color aguamarina alrededor de su cabeza. Unas cejas oscuras sombreaban unos ojos expresivos que no pasaban nada por alto mientras escudriñaban la sala, hasta que se posaron en ella.

Ella no estaba interesada en conocer a nadie más, nunca. Por fin había encontrado a su compañero de vida, y ya no le interesaba ni siquiera un príncipe heredero.

El hombre se acercó y ofreció el placer de su compañía.

—Eres estadounidense, ¿verdad?— La insinuación de una lengua extranjera acentuó delicadamente su inglés.

—Sí, lo soy—, respondió ella para ser cortés—. Estamos aquí de vacaciones.

—Las chicas estadounidenses me hechizan. Son tan... libres y despreocupadas.

—Despreocupada, puede ser. Libre no soy—, murmuró ella.

Un medallón de oro asomaba por debajo de la

camisa de seda abierta de él, y titilaba bajo la luz tenue contra su mata de pelo oscuro.

—Soy Hani Terif—. Su voz era suave y tenía un ligero acento. —¿Y tú eres...?

—Carmella Russo.

Él se inclinó hacia ella.

—¿Estás sola?— Susurró.

Ella lo miró fijamente a los ojos y mantuvo una expresión seria.

—Ya no. Estoy comprometida para casarme. Vamos a fijar la fecha muy pronto.

—Ajá—. Sacó una pitillera de oro del bolsillo del pecho, la abrió y se la tendió. Cuando giró la cabeza para hablar con el camarero, ella se dio cuenta de que tenía un vendaje sobre la oreja.

—No, gracias—, rechazó el ofrecimiento de un cigarrillo largo y estrecho. —Fumar es un vicio mortal.

—¿Qué tal otro trago, entonces?— Él deslizó el estuche de nuevo en su bolsillo—. Las bebidas no son mortales si se toman con moderación.

¿Qué había de malo en dejar que le comprara un vaso de zumo de naranja?

—Bien. Zumo de naranja, solo—. Miró su grueso brazalete de oro. —El oro es una mercancía muy especulativa, ¿no?

—No cuando lo llevas puesto—. Su amplia sonrisa mostraba más del precioso metal: un diente de oro justo detrás de su canino izquierdo. —Pienso llevarme todo mi oro al más allá.

—¿Eres un faraón?— bromeó ella.

—No precisamente—, respondió, con toda seriedad—. Pero tendría que construir una pirámide con un garaje para sesenta y un coches.

Ella enarcó las cejas en señal de sorpresa.

—¿Sesenta y un coches?

—Solo desde que regalé los dos Bentley a mujeres hermosas como tú.

—Gracias—. Aceptó el cumplido con una sonrisa, pero la idea de un Bentley aparcado en su calle la hizo reír. —Pero un Bentley no encajaría en mi barrio.

—Quiero regalar un tercero. Es una ley del universo. Es uno de los misterios de las pirámides. Hablando de eso, ¿qué tal si damos un paseo por ellas? Son magníficas iluminadas—. Sacó una cartera del bolsillo y extrajo una tarjeta American Express platino.

—¿En uno de tus coches? — Preguntó ella, sin intención de ir a ningún sitio con él.

—Por supuesto. ¿Qué crees que llevaríamos?, ¿un camello? — Se rio mientras el camarero se acercaba y tomaba su tarjeta.

—¿Cuál tienes esta noche?

—Hoy me sentía deportivo—. El camarero le devolvió el comprobante de pago, y él garabateó una firma ilegible. En realidad, a ella le pareció un jeroglífico. —Así que he sacado uno de los Ferraris—.

Señaló por la ventana del piso unos cuantos coches aparcados bajo el pórtico. —Ahí está. Dejé que el aparcacoches se lo llevara.

Miró por la ventana y vio un coche deportivo rojo, elegante y bajo. Probablemente, costaba más que su apartamento .

—Es precioso. Pero ¿uno de los Ferraris, dijiste? ¿Cuántos tienes? —Ella revolvió los cubitos de hielo en su vaso con el agitador de plástico. No podía decidir si ese tipo era real o si solo le estaba contando un cuento.

—Oh, cinco o seis. He perdido la cuenta—. Hizo un gesto desdeñoso con la mano como si le dijera cuántos pares de vaqueros tenía. —Pero el que tengo esta noche es el nuevo. Lo compré la semana pasada. Tiene una seguridad impecable.

—¿Te refieres a una alarma extrafuerte?— Preguntó ella.

Él asintió con la cabeza.

—Eso es solo el principio. Tiene ventanas a prueba de balas—. Ella se quedó con la boca abierta. Luego, la cerró. —Este es un lugar peligroso, mi señora. Y hemos tenido más disturbios de lo habitual últimamente. Una célula terrorista que se autodenomina Infiltración Mortal está activa cerca de aquí. Demasiado cerca para mi comodidad. Así que hice equipar este coche—. Bajó la cabeza y señaló el vendaje que ella había notado antes. — ¿Ves esto? Estaba conduciendo con las ventanas abiertas. No es algo inteligente, sobre todo en un coche con cristales a prueba de balas, pero quería aprovechar la brisa. Una lluvia de disparos estalló a mi alrededor, y una bala pasó zumbando y me rozó la cabeza.

Ella abrió la boca de nuevo.

—Oh, Dios. ¿Estabas malherido?

—No, solo fue un roce. Nada grave—. Se palmeó la herida como si estuviera orgulloso de ella.

—¿Cómo hiciste para no sangrar por todo el interior de tu Ferrari?

Él le dedicó una media sonrisa misteriosa.

—Dije que mi coche estaba equipado. Tiene un botiquín de primeros auxilios en la guantera. Me detuve, me puse una venda en la cabeza y me dirigí al hospital. Me curaron bastante bien. Solo necesité unos puntos de sutura.

Ella tragó saliva.

—Esto es tan... extraño para mí. Es decir, en Estados Unidos hay tiroteos desde un auto en movimiento y homicidios, pero aquí...— Un cúmulo de emociones (enfado, miedo, indignación) la hizo reaccionar. Agarró su vaso y cerró el puño con la otra mano. —Estoy tan agradecida de no vivir en Oriente Medio, con el miedo constante a los terroristas suicidas—. Su tono de voz se elevó a medida que el tema la ponía nerviosa como siempre lo hacía. —Perdí amigos el once de septiembre. ¿Por qué los israelíes y los palestinos no pueden llevarse bien y compartir el país y los lugares religiosos en lugar de volarse mutuamente en pedazos? Es una locura. Si todos actuaran como tú, se llevarían bien.

Él entrecerró los ojos y la atravesó con la mirada.

—No sabes lo que es vivir así cada segundo de tu vida. Lo ves en las noticias, en internet. Pero no tienes ni idea... —. Dejó caer su vaso, que se rompió en pedazos. Los fragmentos volaron por la barra. Levantó su mano sangrante.

Ella se puso en pie de un salto, y su instinto maternal se apoderó de ella.

—Te traeré algo... —Miró a su alrededor, pero solo vio unas servilletas de cóctel en la barra.

Corrió por el vestíbulo y llegó a la Recepción.

—¿Tienen vendas?

La elegante empleada miró bajo el mostrador y negó con la cabeza.

—Aquí no. Puedo pedir por teléfono. ¿Para qué habitación?

—No importa—. Salió corriendo mientras Hani Terif le señalaba su Ferrari. El aparcacoches se bajó de un coche aparcado delante de este. —Tengo que sacar algo de la guantera —, le avisó. Por el servicio de aparcacoches, el coche estaba abierto.

Ella siempre había querido montar en un Ferrari. Ni siquiera se había acercado a uno. Abrió la puerta del copiloto y se deslizó dentro. El asiento de piel de oveja le rozó las piernas desnudas como si fueran nubes hinchadas.

Mientras tanteaba para abrir la guantera, tocó el

cierre plateado y la puerta se abrió sobre su regazo. Hurgó en el compartimento, rebuscando entre los papeles y encontró unas gafas de sol de diseño y un reloj de pulsera de oro. Pero no había un botiquín de primeros auxilios.

Entonces vio un objeto que le resultaba inquietantemente familiar.

Era un Corán, encuadernado en cuero azul, con las páginas desgastadas en los bordes por haber sido hojeadas muchas veces. ¿Dónde lo había visto antes? Su mente rebobinó los últimos días y se detuvo en seco. ¡Yasar! Llevaba un Corán idéntico a ese. Él se lo había enseñado y le había contado que lo había conseguido en una subasta.

Una inquietante advertencia le erizó la piel. Presintió algo siniestro en ese libro. Abrió el interior de la cubierta, forzando la vista para leer la letra en el pequeño círculo de luz de la guantera. Se tapó la boca con una mano para reprimir un grito. Allí, escrito en inglés, estaba el nombre de Yasar Massri, su primer guía turístico. ¿Cómo diablos había acabado este tipo, Hani, con el libro, y qué relación podía tener con el guía turístico muerto? ¿También conocía a Samir, la segunda víctima?

Su corazón dio un vuelco. Tragó con fuerza el nudo que tenía por el miedo.

El recibo de una tarjeta de crédito marcaba una página en el centro del Corán. Con las manos temblorosas y sudorosas, abrió la página marcada. Sus ojos se abrieron de par en par ante unas palabras garabateadas en el margen, en un idioma que le resultaba extraño. Podría haber sido hebreo, farsi o arameo, por lo que ella sabía. Con dificultad y temblando, arrancó la página garabateada del libro y la metió en el bolsillo de la falda.

Volvió corriendo al interior del hotel y al salón. Hani estaba sentado, con un trapo del bar envuelto en su mano.

—Lo siento mucho, no pude conseguir una venda —. No se atrevió a decirle dónde había buscado. Antes de que él pudiera decir algo, ella soltó: —Odio interrumpir esto, pero tengo que irme. Encantada de conocerte—. Con mil disculpas , se excusó y huyó del bar, medio esperando que un disparo hiciera que ese momento fuera el último.

Pidió el número de habitación de Antonio al empleado de noche con un billete de cincuenta dólares. Golpeó la puerta con el puño. Su corazón podría haber golpeado la puerta, por la violencia con la que latía.

Él abrió la puerta, con un aspecto más tentador que nunca, en sus ajustados pantalonescortos de pijama negros. La visión de él la dejó sin aliento.

—Antonio, siento despertarte, pero esto es muy

importante—. Le tendió la página. — ¿Qué te parece esto?

Él se pasó los dedos por el pelo despeinado mientras se esforzaba por descifrar el misterioso garabato.

—No me resulta familiar. ¿De dónde lo has sacado?

—Te lo diré más tarde. ¿Ni siquiera sabes qué idioma es?

—Es árabe, pero nada dentro de mi limitado vocabulario—. Sacudió la cabeza. —Puedo hablar el idioma bastante bien, pero las palabras escritas... soy un muy mal lector del idioma.

Ella recuperó el papel con mano temblorosa.

—Esto significa peligro; puedo sentirlo.

—Oye... — Él le agarró la mano con sus fuertes dedos y la sostuvo hasta que ella empezó a calmarse y a respirar con normalidad. —No estás en peligro. No dejaré que te pase nada.

—Oh, Antonio, tengo tanto miedo... — Cayó en sus brazos. —Sé que no deberíamos haber hecho este viaje. Nos lo habían desaconsejado. Ese tipo sabe dónde nos alojamos. Es peligroso, ¡no me fío de él!

—¿Qué tipo?

Ella respiró entrecortadamente y volvió a temblar.

—Ese tal Hani, que conocí en el salón. Empezamos a hablar... — Le contó lo sucedido.

Él le alisó el pelo y la acompañó hasta la cama. La

sentó, tomó un pañuelo de papel y le secó las lágrimas que corrían por su rostro.

—No estás en peligro, cara. Él no te hará daño. Estás perfectamente a salvo. Disfruta de tu estancia en Egipto y ni siquiera pienses en el peligro.

Ella tragó saliva varias veces y recuperó el aliento. Cuando se le pasó el susto inicial, pensó con más claridad.

—Tampoco quiero que te pase nada a ti. Nuestros dos últimos guías turísticos fueron asesinados. ¿Por qué no estás frenético por eso? — A través de sus lágrimas, la imagen borrosa de él se enfocó mientras ella parpadeaba.

Antonio se acercó a ella y le levantó la barbilla con la punta del dedo.

—Porque no estoy involucrado en ningún grupo político ni hago nada que los terroristas ni cualquier otra persona pueda considerar un objetivo. Me ocupo de mis propios asuntos y me mantengo al margen de la política o de las causas o asuntos por las que matan gente aquí. No hablo de política con mis amigos ni con mi familia. Ni siquiera quiero hablar de ello contigo.

Ella inhaló y exhaló como si estuviera en clase de yoga. Su corazón disminuyó su ritmo hasta llegar al normal. El alivio la inundó. Se quitó la chaqueta y la colocó a su lado.

—No hace falta que me digas tus inclinaciones políticas. Yo misma no tengo ninguna. Estoy siempre

34

en el carril del medio. Ni un extremo ni otro en nada. Incluso voto a los libertarios—. Se tapó la boca. —Uy, se supone que no debemos hablar de eso—. Compartieron un momento de necesaria frivolidad con una carcajada.

—Bueno, no tienes nada de qué preocuparte. Estás a salvo, y yo ciertamente lo estoy—. Él se puso de pie y abrió el minibar. —Esos otros guías debían de estar metidos en algún grupo y causar problemas o decir lo que no debían a la persona equivocada—. Sacó dos pequeñas botellas de vino y quitó los tapones. —Algunos no saben cuándo mantener la boca cerrada—. Sirvió el vino en dos vasos y los acercó. —Toma. No es la mejor cosecha de Italia, pero servirá por ahora—. Chocaron las copas, y él se llevó la suya a los labios.

—Espera—. Ella tocó el vaso de él. —Quiero hacer un brindis. Por nosotros. Por el primer día de nuestro futuro juntos. Ambos sabemos lo que está pasando aquí. Y, aunque nuestros cuerpos no se hayan encontrado en esta vida, nuestras almas sí lo han hecho en alguna otra, quizá hace siglos. Somos el uno para el otro, Antonio. Un milagro me trajo aquí. Se suponía que iba a morir en ese accidente de avión. Pero, en lugar de eso, estoy aquí contigo. Desafié todos los pronósticos para llegar aquí, y tú también. Estábamos destinados a encontrarnos y a estar juntos. No puedes negar eso, ¿verdad?

Él chocó su copa con la de ella una vez más y la

miró a los ojos, sosteniendo esa mirada hasta que ella casi se ahogó en la adoración de él por ella.

—No, no puedo negarlo. Es un milagro que ambos estemos aquí. Está destinado a ser. Y eso es amore.

~

Ella entró en su habitación de hotel una hora más tarde y se quedó boquiabierta. La habitación estaba destrozada: los muebles volcados, el colchón de lado contra la pared, las cortinas arrancadas de sus varillas, su ropa y objetos personales esparcidos como si un ciclón hubiera golpeado la habitación. La alfombra estaba levantada por los bordes. Las botellas de champú vacías estaban esparcidas por el suelo del baño.

Mientras estaba allí parada, entumecida por la conmoción, la puerta del armario la golpeó por detrás . Una mano húmeda le tapó la boca. El frío y duro cañón de una pistola le presionó el cuello. Se estremeció mientras el sudor le empapaba la espalda.

—Lástima que una dama tan encantadora sea tan fisgona—, dijo la misma voz aterciopelada que había felicitado a las chicas estadounidenses por su espíritu libre y que había presumido de sesenta y un coches. Pero, en ese momento, la hizo estremecer de terror. — Vamos a dar un paseo, pero no a la tumba del Rey Tut. Será a la tuya. Si no cooperas.

Él retiró la mano. Ella jadeó.

—No, Hani...

Sin más guía que su instinto de supervivencia, Carmella lanzó un grito desgarrador y le mordió la mano.

Él la golpeó con su pistola. Un destello cegador de dolor le atravesó el cráneo mientras se desplomaba en el suelo.

Al despertar, al borde de la conciencia, su primera sensación fue el calor abrasador de la noche y la presión contra su estómago. Al abrir los ojos, vio la escalera del hotel. La cabeza le palpitaba. El sudor empapaba su cuerpo. De nuevo, se desmayó.

La realidad volvió a inundarla. Se encontraba en una carretera desolada. Aturdida, se decía a sí misma que estaba soñando. Ya he tenido pesadillas antes. Estoy soñando; lo sé.

Con la boca cerrada, caminó obedientemente junto a su captor, por la carretera sin asfaltar. Se detuvieron ante un Ferrari aparcado en un estrecho callejón. Reconoció que era el de él cuando la empujó y la hizo caer al suelo de tierra.

Esto no es un sueño. El terror le apuñalaba el corazón.

—¿Dónde está? — Gruñó él.

—¿Dónde está qué? — Buscó frenéticamente en su nublada mente una mentira.

—La página que arrancaste del Corán. ¡Sabes muy bien qué!

—Yo... se lo di a la Policía. Justo antes de subir a mi habitación. ¡Van a llegar en cualquier momento! — Farfulló. Su corazón martilleaba como un trueno.

—Escucha, perra. Yo sería el prisionero en vez de tú si se lo hubieras dado a la Policía. Ahora, ¿dónde está? — Le metió la pistola entre los pechos mientras la inmovilizaba en el suelo con el brazo libre; su medallón de oro colgaba sobre el rostro de ella. Carmella olió su sudor acre mezclado con una colonia exótica. —Vacía los bolsillos. Sé que lo llevas encima. Sácalo—. Cansada por el susto y la derrota, metió la mano y sacó la endeble página de su bolsillo. Él la agarró. —Adiós —, espetó. —Quizá nos volvamos a encontrar en esa gran pirámide... en el Cielo—. Dejó escapar una carcajada siniestra mientras le apuntaba con su automática, prolongando su agonía.

Ella estaba en el suelo encogida, con los ojos fuertemente cerrados, esperando el dolor, la oscuridad, el Más Allá. Pero no llegó nada. Abrió los ojos, pero Hani seguía de pie sobre ella, con la pistola apuntando a su pecho. Sus ojos se abrieron de par en par cuando vio una figura sombría agazapada detrás de su posible asesino.

Ella dio un grito ahogado. ¡Antonio!

Para disimular su sorpresa, además de ganar tiempo para su rescatador, acusó:

—¡Así que fuiste tú quien mató a Yasar!

Hani respondió:

—Sí, y a tu otro guía turístico también, y a varios

soldados israelíes cuando escapé de la granja de Bishara. Fui el único miembro de Infiltración Mortal que sobrevivió—, se jactó.

Antonio avanzó en silencio, y quedó a tres metros de Hani.

¡Piensa rápido!, le exigió Carmella a su mente aún nublada.

—¿Puedo maquillarme? ¡No me gustaría que nadie me encontrara así!— Balbuceó, con los ojos clavados en la silueta de Antonio, a una corta eternidad de salvarla.

La confusión se reflejó en el rostro de Hani; sus cejas se fruncieron y sus labios se abrieron en una mueca muda.

Antonio salió de las sombras y saltó sobre la espalda de Hani. Este giró para quitarse de encima a su atacante, pero un instante después, le disparó a Carmella.

El momento de vacilación le salvó la vida. El arma rugió, pero el disparo se desvió. El estruendo de la entrada de Antonio desvió la puntería de Hani de su objetivo.

Carmella se quedó paralizada por el miedo y una espantosa fascinación mientras los musculosos cuerpos luchaban en el suelo, resbaladizos y brillantes de sudor. Se produjo otro disparo. Su brillante destello mostró a los hombres aferrándose al arma, a la vida misma. Un gruñido, un tercer disparo, el silencio. Todo había terminado. Los dos hombres yacían inmóviles como la muerte.

Ella se levantó de un salto y corrió hacia el cuerpo tendido de Antonio; buscó el pulso en el cuello mientras levantaba la cabeza sobre su regazo.

Antonio abrió los ojos e hizo una pregunta:

—¿Estás bien?

—¡Sí! ¿Y tú?

—Estoy ligeramente herido—. Se agarró el hombro e hizo una mueca de dolor. —Pero él... creo que le di peor—. Se apoyó en los codos y se quitó la suciedad de las perneras del pantalón.

Esforzándose por ver en la oscuridad, ella miró a Hani. Sus ojos sin vista miraban al frente. Un chorro de sangre salía de su boca abierta.

—No se mueve. Tampoco parece que respire.

—Entonces, ya está en las puertas del Cielo—. Antonio se esforzó por ponerse en pie, pero ella lo acostó de nuevo.

—No, no te levantes. Llamaré a una ambulancia —. Ella tragó el aire caliente del desierto mientras tomaba aire. — ¿Cómo sabías que tenías que venir aquí?

—Iba de vuelta a tu habitación para devolverte la chaqueta que habías dejado en la mía. Te oí gritar y te seguí hasta aquí. Ese escrito... parece ser importante. Debes llevarlo a la Policía, mostrarles la lista. No puedo ir contigo. Me han herido. No creo que deba moverme hasta que llegue un médico. Saca mi móvil del bolsillo de la chaqueta y llama al cinco uno cero. Es el número de emergencias.

—Sí, por favor, recupérate...— susurró ella, bajando tiernamente su cabeza al suelo cubierto de arena. Él cerró los ojos mientras ella sacaba el teléfono de su bolsillo. Limpiando la palma de su mano sudorosa en la blusa, marcó el número y le acercó el teléfono a la oreja. Él pronunció una rápida frase en árabe y le hizo un gesto de asentimiento con la cabeza.

Ella caminó de puntillas hasta el cuerpo sin vida del terrorista, metió dos dedos en su bolsillo y sacó el papel desgastado y arrugado que había costado tantas vidas. Deslizó ese precioso objeto entre sus pechos.

Una ambulancia se acercó a ellos y los llevó al hospital a toda velocidad. Ella se sentó con Antonio en la ambulancia, agarrando su mano, con los ojos pegados al parpadeo errático que controlaba sus latidos.

El embajador de Estados Unidos, Carl Wilson, entró en la habitación del hospital donde Antonio estaba sentado bebiendo café. Carmella lo había observado durante cada minuto de su recuperación, y fue enamorándose cada vez más profundamente del héroe de carne y hueso que siempre había esperado y soñado.

El embajador se quitó el sombrero y sonrió a la valiente pareja.

—Jovencito y jovencita—, se dirigió el embajador a cada uno, —no solo tienen suerte de estar vivos, sino que ambos son héroes. Los Estados Unidos de América les deben mucho por haber ayudado a evitar una masacre. Sabíamos que Infiltración Mortal estaba a punto de atacar, pero no sabíamos dónde. Han salvado la vida de siete miembros del Parlamento israelí y de una delegación de la ONU. La lista que nos dieron era la lista de objetivos de la célula terrorista. Estamos en deuda con ustedes, y espero que nos digan si hay algo que podamos hacer por ustedes o por sus familias.

Antonio miró a su nueva prometida y le tomó la mano.

—Bueno, signor, hay algo que puede hacer por mi familia, ya que muy pronto tendré una nueva. Esta es mi futura esposa, Carmella. Su sueño de toda la vida es casarse con un italiano en Italia y llevarlo de regreso a casa, como hicieron sus bisabuelos. Solo que este matrimonio es todo, menos arreglado.

—Oh, claro que fue arreglado—, lo corrigió Carmella, sonriendo al embajador. —El universo lo dispuso, hace muchos años, cuando hice mi petición. Ahora que mi deseo ha sido concedido, quiero mostrar mi agradecimiento. Así que lo invito a usted y a un acompañante a nuestra boda, que siempre he soñado que sería en la Capilla Sixtina. Y para aceptar su oferta de ayuda... — Le lanzó a Antonio una mirada cariñosa. —Sé que las bodas no están permitidas allí, ni siquiera permiten las fotos, pero ninguno de los dos tiene conexiones con el Vaticano. ¿Hay alguna posibilidad de que pueda usar su influencia para dejar entrar en la capilla a un pequeño,digamos, no más de una docena, grupo de invitados a la boda?

Los ojos del embajador Wilson se movieron de un lado a otro mientras consideraba la propuesta.

—Emmm, eso es mucho pedir. No puedo prometer nada, pero una vez que la gente del Vaticano escuche su historia, ¿cómo podrían negarse? Sé que a Miguel Ángel le gustaría verlos intercambiar votos rodeados de sus exquisitas obras de arte. También sé lo románticos que son los italianos. Pero quizá no sea mañana. Roma no se construyó en un día, ya sabe.

—Por supuesto, signor—, respondió Antonio por ambos. —La Capilla Sixtina esperó quinientos años por nosotros, ciertamente podemos esperar un poco por ella.

El vuelo de vuelta a Londres salió exactamente a la hora prevista. En la clase turista, se sentaron el profesor Everett, que tecleaba notas en su portátil; Janice Everett, que admiraba sus nuevas cuentas de rosario de color turquesa; y Jeff Sullivan, que estaba diseñando un nuevo juego de ordenador, La venganza de Ramsés.

En la fila central estaba sentada Anna María Russo, que estaba estudiando el diagrama de las salidas de emergencia del avión; Carmella se sentó en el asiento del pasillo. Antonio se sentó junto a ella.

Cuando el avión alcanzó la altitud de crucero, Carmella echó su asiento hacia atrás y se reclinó. Un hombre caminaba por el pasillo, hojeando las páginas de un pequeño libro azul. Lo dejó caer directamente a su lado, y cuando se inclinó para recogerlo, ella espió la cubierta. Esa imitación de cuero, esas letras doradas, las páginas desgastadas...

Una ola de pánico enfermizo la invadió. Aferrándose al brazo de Antonio, luchó por encontrar las palabras, incapaz de formar una frase coherente.

—Es... es el Corán azul. ¡Él lo tiene!— Carmella dio un grito ahogado, con el corazón en la garganta.

Antonio rio por lo bajo y le acarició la mejilla.

—No hay nada de qué preocuparse. Estamos perfectamente seguros, no nos va a pasar nada—. La besó suavemente y luego metió la mano en el bolsillo.

Sacó un pequeño Corán de cuero azul y lo hojeó hasta el centro, y le mostró el hueco deshilachado donde se había arrancado aquella página mortal.

—¿Ves?— dijo, —he adquirido un pequeño recuerdo propio.

44

CUERPOS DE LA CIÉNAGA

EL HOMBRE demacrado yacía de lado en posición fetal. Su piel curtida y bronceada proyectaba un brillo apagado a la luz del sol menguante. Aparte de una gorra y cinturón marrones de cuero, no llevaba nada puesto. Pero no era un bañista desnudo allí, en el pantano de turba, con solo dos accesorios para complementar su traje de Adán.

Era un cadáver de dos mil años.

—Es extraño. Parece que podría haber muerto ayer—. El estudiante de arqueología sacudió la cabeza con asombro mientras su mentor, el profesor Wilhelm Jorgensen, y otros cinco estudiantes contemplaban el cuerpo perfectamente conservado.

El profesor Jorgensen se levantó de su posición arrodillada al borde de la tumba poco profunda, se quitó las gafas y se dirigió a los sorprendidos estudiantes. Metiendo las manos en los bolsillos para protegerse del viento danés, explicó:

—Este es uno de muchos, amigos. Se han encontrado más de cien de estos cuerpos en turberas aquí, en Tollund Fen, así como en el norte de Alemania y en los Países Bajos. La turba lo manchó, y sus ácidos ferrosos lo conservaron. El examen del polen cercano nos dice que estos entierros tuvieron lugar hace unos dos mil años.

Geir Svenning se alejó de sus compañeros, que estaban tecleando en sus tabletas. Se paró frente a la tumba, con su pelo rubio que volaba en todas direcciones, y su mirada entusiasta fija en la plácida expresión del muerto. La cabeza, incrustada en el suelo en un perfil de tres cuartos, dejaba al descubierto unos pesados párpados y una delgada nariz aguileña; los labios abiertos mostraban unos dientes amarillentos. Mechones de pelo polvoriento salpicaban la piel extendida sobre el cráneo. Un hueso expuesto del brazo sobresalía de la carne restante en ángulo recto con las rodillas levantadas. Geir imaginó cómo sería el tacto de la carne antigua bajo las sensibles yemas de sus dedos.

—¿Qué vamos a hacer con él, profesor? — Geir rebuscó en su bolsillo su fiable paquete de antiácidos.

—Unos excavadores del Museo Nacional van a empaquetarlo y enviarlo a Copenhague para estudiarlo. Con su permiso, podremos auditar la investigación y averiguar más cosas sobre este misterioso anciano—. Tomó unas cuantas fotos del cadáver con su teléfono móvil. —Hasta que le den un nombre apropiado, lo llamaremos Hombre de Tollund.

En el museo de Copenhague, un equipo de arqueólogos hizo otro estremecedor descubrimiento al examinar al Hombre de Tollund. Al retirar un trozo de turba junto a la cabeza, encontraron un lazo de cuero tensado alrededor del cuello del hombre. Mientras Geir y el profesor Jorgensen observaban, una cara de asombro se encontró con la otra cuando el rompecabezas encajó: El Hombre de Tollund había sido estrangulado.

Geir pasó la página de su amarillento diario. Hacía veinte años que había empezado a anotar cosas. El tacto de las frondosas páginas lo llevó, al instante, a aquel día en que había extendido la mano derecha para tocar la antigua frente. Sorprendentemente, no lo había sentido como el cuero. Era dura y lisa, fosilizada, como las sandalias que había excavado en una ciudad desaparecida del norte de Irak, que databan del año 1500 antes de Cristo.

Volviendo al diario, repasó sus notas garabateadas

sobre la conferencia del profesor Jorgensen después de que hubieran determinado el motivo de la muerte del Hombre de Tollund: había sido asesinado en silencio y ofrecido a los dioses en un ritual pagano nórdico. Podría haber sido un sacerdote, o simplemente un mártir, que renunciaba a su vida terrenal por sus supervivientes. Su última comida, al investigar su tracto digestivo, había sido granos y semillas de girasol, ingeridos para germinar y crecer durante el viaje de la diosa a través del paisaje primaveral. ¡Semillas de girasol! Geir se maravilló. ¡Todavía intactas y sin digerir después de dos mil años!

Cerró los ojos cuando la imagen de hace veinte siglos apareció en su mente.

—¡Geeeir! — El grito desgarrador de su mujer interrumpió sus pensamientos y lo devolvió a la realidad, a su vida de profesor de arqueología sobrecargado de trabajo y a su matrimonio trágicamente infeliz. Sin duda, Gudrun le exigiría que realizara otra tarea insignificante: sacar la basura o lavar su taza de café, o buscar el mando a distancia que ella había extraviado. La encontró tumbada en el sofá del salón, pintándose las uñas de un rojo sangre penetrante, un contraste grotesco con su túnica naranja y su pelo amarillo canario. —Prepárame un tentempié, querido; he estado muy ocupada todo el día comprando, haciendo largas colas... mis zapatos casi me ahogan los pies... —, se estiró y bostezó. —Te compensaré. Te prepararé la cena una noche de la semana que viene.

A Geir no le habría importado tanto que ella solo quisiera holgazanear por la casa, leyendo revistas y jugando en Internet. Ansioso por darle todo lo que podía permitirse, había contratado a una criada y a una cocinera. Pero todo lo que ella había producido en una década y media de matrimonio habían sido dos comidas quemadas hasta quedar irreconocibles, en su primer y décimo aniversario. Sus incesantes exigencias y sus lloriqueos por más dinero hacían insoportable la convivencia con ella.

—¿Por qué no te divorcias? — le preguntaban repetidamente sus colegas, conscientes de su situación.

—Sencillo—, respondía. —No me lo puedo permitir—. Estaba en algo más que un atolladero: estaba en una tumba; una catacumba en lo más profundo de la Madre Tierra de la que ningún hombre mortal podría escapar. Igual que el Hombre de Tollund sacrificado que había examinado veinte años atrás. Estrangulado, arrojado a una tumba, un sacrificio a los dioses, un sacrificio, un sacrificio...

La palabra retumbaba en su mente como una frase musical mientras vertía una mezcla de semillas y frutos secos en un cuenco. ¿Cuánto estaría realmente dispuesta a sacrificar Gudrun?, ¿sacrificaría alguna vez algo por ese matrimonio... o por su misericordioso final?

Las palabras del profesor Jorgensen resonaban después de dos décadas: «¿Quién mató a este hombre hace dos mil años?». El profesor había formulado la pregunta retórica a la clase, treinta ansiosos arqueólogos noveles, cada uno de los cuales quería hacer ese único descubrimiento que anunciaría su éxito. «Dos mil años y nunca lo sabremos».

«Nunca lo sabrán». Geir repitió en voz alta las palabras del profesor Jorgensen, imitando su voz profunda e intrusiva; el mismo tono que siempre intentaba emular cuando daba clases a sus propios alumnos. Intentando calmar sus manos temblorosas, colocó el cuenco de semillas y frutos secos en la mesa frente a su mujer.

—¿Qué estás murmurando?— exigió saber Gudrun, cerrando el tapón de la botella mientras el olor acre del esmalte de uñas se disolvía en el aire.

—Nada, nada. Sigue haciendo... lo que sea que hagas—. Salió del salón y se dirigió al vestidor de Gudrun. Encendió la luz y, ante sus ojos, apareció un armario que rivalizaba con el de una supermodelo. Recorrió el conjunto de prendas de colores: vestidos floreados, suéteres de cachemira, pantalones de cuero... toda ropa de diseñador. Vio una pila de sombreros a punto de caerse de la estantería de arriba; bolsos de todos los colores del arcoíris colgados de ganchos en la pared del fondo. Los compartimentos de plástico a sus pies contenían suficiente calzado para calzar a una familia de ciempiés. Sus ojos recorrieron un poco más, hasta la esquina opuesta, donde ella guardaba sus accesorios. Todo de cuero genuino, nada más que lo mejor. ¿Cuántos caimanes, corderos y alces habían sacrificado sus pieles para vestir a Gudrun Svenning con elegante esplendor? Más zapatos, cinturones y bolsos con tachuelas y adornados con relucientes herrajes de oro. Extendió un brazo y echó un vistazo a las correas de cuero que colgaban del exhibidor de cinturones giratorio. Las hebillas tintineaban suavemente al chocar unas con otras; cinturones marrones, cinturones rojos, tantos cinturones...

Nadie lo sabrá nunca.

«Tiene razón, profesor»,respondió Geir al lamento de veinte años. «Nadie lo hará nunca».

El taconeo de los zapatos de Geir resonó en el oscuro pasillo a medida que se acercaba al laboratorio de investigación. Alumbrando con su linterna la cerradura, introdujo la llave y se apoyó en la pesada puerta. Esta chirrió por sus oxidadas bisagras cuando él entró. Abrió la vitrina con una llave más pequeña y sacó el único objeto que necesitaba. Se lo metió en el bolsillo, lo sustituyó por uno propio y cerró la vitrina. A continuación, sacó un frasco de ácido sulfúrico concentrado de un estante alto, asegurándose de que el mortífero líquido no se escapara del tapón de goma. Se metió un antiácido en la boca mientras salía del laboratorio, cerraba con llave y volvía a su coche.

Él tomó la muñeca de ella entre el pulgar y el índice para asegurarse de que estaba muerta. El antiguo lazo de cuero casi se había roto, pero él había tirado con todas sus fuerzas mientras veía cómo el último aliento de su esposa abandonaba el cuerpo que se agitaba. Los labios palidecieron hasta volverse azules mientras el color abandonaba las mejillas, que quedaban como mármol calcáreo. Otro ritual pagano... aunque muy moderno.

Le quitó la ropa, tiró a un lado la bata de seda y arrancó las zapatillas de armiño de los pies helados. El sol se había puesto; la oscuridad envolvía la habitación. Los ojos de él se adaptaron a las sombras mientras limpiaba el esmalte rojo de sus uñas con un hisopo de algodón y un frasco de quitaesmalte que había encontrado en la mesa de tocador entre los sueros y las cremas.

Su cuentakilómetros indicaba que estaba a cincuenta y seis kilómetros de Aarhus. Se detuvo junto a una turbera similar a aquella en la que habían encontrado al Hombre de Tollund. Cavó una tumba de metro y medio y esparció semillas de polen por los bordes. Trabajando con los faros de su coche apagados, flexionó las manos enguantadas, sacó el cuerpo de su mujer del vehículo y manchó la piel de color marrón con la turba. Acomodándola en posición fetal, la arrojó a la tumba, con la soga bien atada al cuello. Vertió ácido sobre las manos y la cara para emular una rápida descomposición y borrar los rasgos faciales y las huellas dactilares. Volvió a echar la turba en la tumba.

Una vez completado el sencillo ritual, se apresuró a regresar a su coche, arrojó la pala en el asiento trasero y se alejó, comiendo semillas de girasol.

Gudrun ya pertenecía a los dioses: una Mujer de Tollund.

—Sí, inspector, ha estado fuera más de dos semanas. Le compré un billete de tren a Copenhague, solo para sacarla de casa. La he descuidado terriblemente. He estado muy ocupado en las últimas semanas.

El inspector Larsen asintió, tocándose su crecido bigote con el labio inferior.

—¿Lo ha comprobado con la Policía de Copenhague?

—Sí, varias veces. No ha habido señales de ella—. Geir forzó la angustia en su tono y se retorció las manos.

El inspector pasó por delante de Geir y se dirigió al dormitorio, donde observó el lugar. Geir lo guio hasta el armario de Gudrun, accionó el interruptor y dejó que el inspector echara un vistazo a la ropa. Sus manos enormes agarraron vestidos, chaquetas y pantalones.

—No se ha llevado mucho, ¿verdad?— El inspector se volvió hacia Geir, que seguía retorciéndose las manos, tratando de forzar las lágrimas.

Geir titubeó; el pelo le caía sobre los ojos mientras tomaba el peine de plata de Gudrun y se quitaba los mechones rebeldes de la frente.

—Bueno, ella... siempre ha tenido mucha ropa, ya sabe... ya conoce a las mujeres... —emitió una pequeña risa. El inspector no se unió a él. En cambio, se giró y se dirigió hacia el tocador de Gudrun, que estaba exactamente como lo había dejado. Contempló el conjunto de cosméticos con una pizca de asombro en los ojos. Examinó uno por uno los frascos de esmalte de uñas: cobrizo opaco, carmesí cósmico, rosa cielo. —Vaya tono de rojo —, comentó sobre el rojo cósmico. Abandonó los esmaltes de uñas y estudió las sombras de ojos, los polvos faciales, todos con tonos descriptivos: durazno oscuro, beis suave, rosa sonrojado.

—Una mujer que lleva tanto maquillaje no debería ser muy difícil de encontrar—, comentó.

—No tenía ninguna razón para irse. Ninguna en

absoluto. Éramos tan felices juntos... — Geir enfatizó esa última frase.

—Realmente lo tenía todo en bandeja de plata, ¿eh?—. Una gruesa ceja se alzó y desapareció bajo la sombra del sombrero del inspector cuando este se giró para salir del tocador de Gudrun.

—Tenía casi todo lo que una mujer puede desear —, insistió Geir, sacudiendo la cabeza. —La echo mucho de menos.

—Seguro que sí—. El inspector observó el mobiliario antiguo, la alfombra turca de seda. Después de haber anotado más información en su cuaderno, le aseguró a Geir que estaría en contacto y se dio vuelta para marcharse. Geir lo vio salir y se metió un antiácido en la boca.

Con una chispa de déjà vu que encendió su memoria, el profesor Geir Svenning recibió un aviso de que tenía una llamada telefónica mientras daba una conferencia. Un cuerpo descubierto recientemente cerca de Aarhus... los obreros que cortaban la turba lo habían encontrado... se trataba de una mujer... similar a todas las demás... Le gustaría verlo?

Vio al inspector Larsen en el lugar, con varios estudiantes que se asomaban a la tumba, con un asombro que los tenía con los ojos y la boca bien abiertos.

—¿Cuál es su opinión sobre esto, profesor?— Lo saludó el inspector, con el dedo en el botón de una pequeña grabadora digital. Dos estudiantes se acercaron a Geir, encendieron sus propias grabadoras, y se las acercaron a la cara.

—Es... es otro de los sacrificios paganos... —comenzó, después de solo haber echado una breve mirada a la mujer dentro de la tumba de tres años; el lazo de cuero estaba intacto como la noche en que lo había ajustado. —Esta mujer vivió durante la Edad de Hierro del norte de Europa, al principio de la era cristiana—.Concluyó su declaración con el famoso axioma del profesor Jorgensen: —Pero nadie lo sabrá nunca—. Y añadió, riéndose: —Nuestro buen inspector probablemente seguía haciendo la ronda cuando se produjo este crimen. Está perdiendo el tiempo tratando de resolver este caso, señor. Déjelo en manos de los arqueólogos.

El inspector indicó a los estudiantes que siguieran adelante. Estos se alejaron tras echar un último vistazo a la tumba, sin poder disimular sus muecas y sonrisas compartidas.

—Es muy interesante, profesor. Gracias por iluminarnos—. El inspector le tendió una mano callosa y Geir la tomó. Las estrecharon.

—De nada, inspector. Ahora debo irme; tengo

una clase a las once—. Sonrió, tomándose su tiempo para girar y dirigirse a su coche, mientras se limpiaba las gotas de sudor de su labio superior.

—Solo un último punto, profesor Svenning—. La voz del inspector resonó en sus oídos como el golpe de la campana del día del juicio final.

—¿Qué pasa? — Él se detuvo y se giró a mitad de camino, luchando por mantener la tensión alejada de su voz mientras su corazón empezaba a latir con fuerza.

—Ha pasado por alto un pequeño detalle en su examen superficial de esta mujer de la Edad de Hierro, profesor; los paganos de hace dos mil años no se ponían esmalte carmesí cósmico en las uñas de los pies.

SU PROPIO JEFE

NUEVA YORK, 1933

EL POLICÍA novato Jimmy DeBari se acercó al teniente Frank Russo mientras la ambulancia llevaba a la última víctima a la morgue.

—Teniente, señor, no sé cómo lo hizo—, dijo DeBari. —Pero ciertamente espero poder resolver un caso tan grande algún día.

—Lo harás, hijo, ciertamente lo harás—. Frank se subió la funda a la cadera. —Cuando estés en mi puesto, asesinatos como este serán poca cosa. Tal vez desbarates alguna mafia. Eso será algo que contar a tus nietos.

—Mientras pueda decirles que lo conocí a usted, señor, ¡me basta! — DeBari sonrió.

Frank se volvió hacia el imponente capitán George Murphy.

—Ya he hecho todo lo que podía hacer aquí abajo,

Murph. Me voy a casa a ver la última parte de Amos 'N Andy.

—Sí, Frank, vete a casa—. El capitán Murphy miró al joven teniente con sus ojos de concha de mejillón y cruzó la sala de la armería llena de balas; apenas se notaba la cojera que tenía tras haber sido herido en la Gran Guerra. «Algún día...» murmuró para sí mismo, tocando su fría placa. «Algún día...»

Frank subió los escalones del porche del edificio de tres pisos sin ascensor y entró en el estrecho vestíbulo que siempre olía a lejía y a ajo. Otro caso de asesinato resuelto, pensó con una sonrisa de satisfacción, y otra pluma en la gorra del teniente más joven de la Policía de Jersey City. A los treinta años, ya había tomado medidas drásticas contra la fuente de una de las operaciones de extorsión más antiguas de la ciudad: la poderosa familia Lionetti. Había enviado a prisión de por vida a un ejército de compari y secuaces. Tenía costumbres, métodos y fuentes, pero sobre todo tenía dos labios bien cerrados que solo se abrían para los platos de pasta y el vino tinto casero de su padre.

Frank entró en su apartamento trasero de cuatro habitaciones y abrió la ventana que daba a un conducto de ventilación.

«Tengo que salir de esta pocilga», murmuró, preparándose un sándwich de mortadela. Se dirigió a la radio Zenith y tocó los botones.

~

El capo Antonio Lionetti, o «Jefe Tony» para su pequeño ejército de soldados y sicarios, rezongaba con los dientes apretados. Después de su aprendizaje en la infame Banda Púrpura de Detroit, finalmente había alcanzado su actual cima de poder. De ser un humilde sicario, ascendió en el escalafón, y así demostró a los viejos mafiosos italianos que tenía una capacidad homicida en el arte del asesinato por encargo, resolviendo disputas sindicales mediante extremidades rotas con una precisión casi quirúrgica, y lanzando bombas a través de los escaparates de comerciantes que no cumplían.

Pero todo su trabajo corría el riesgo de quedar anulado. Mirando una vez más el llamativo titular del periódico, golpeó la mesa con el puño. El cenicero se volcó, y el polvo de las cenizas y las colillas de los cigarros se esparcieron por la habitación, y mancharon su traje a rayas.

«¡Otra vez! ¡Lo ha vuelto a hacer!» Maldiciendo en voz baja, se abalanzó sobre el teléfono y llamó al capitán Murphy. Dos timbres, luego tres. «¿Dónde está ese bufón?»gruñó, cuando la voz somnolienta de Murphy sustituyó al monótono timbre. —Tú— exclamó el jefe Tony con tono áspero. — ¿Quieres decirme cómo se ha librado Russo de esto? ¡Acaba de matar a uno de nuestros mejores hombres! ¿Qué está pasando aquí, amigo? ¿no estás haciendo tu trabajo?

—No lo sé, jefe. Juro por Dios que no lo sé. Russo no quiere decirnos cómo resolvió ese caso ni cualquiera de los otros. Sus labios están sellados.

—Sí, bueno, el resto de él estará sellado en un traje de hormigón, a menos que dejes de joder y descubras cómo este tipo consigue toda la información sobre nosotros. ¡Puedo cortarte con la misma facilidad con la que puedo cortar un trozo de carne por la mitad!—Colgó de golpe el auricular, y dejó a un aturdido capitán Murphy agonizando, por enésima vez, sobre cómo Frank Russo expuso todas sus nefastas operaciones.

«Ah, pura suerte»,murmuró Murphy. Satisfecho con su teoría, se dio vuelta para recuperar el sueño perdido.

Acomodado en la silla de su despacho en la Jefatura de Policía de la calle Mulberry, Frank Russo levantó el teléfono que tintineaba.

—Hola, Russo—, la voz era tan familiar como la de su propia madre que resonaba en la calle Mott para que volviera a casa a comer. La voz sin rostro y enigmática que no hablaba con nadie del cuerpo, más que con él. La voz de la que todos sabían que era su fuente, y que prefería ver el Armagedón antes que revelar su identidad.

—Sí, ¿qué tienes esta vez? — Frank hizo que

todas las cabezas se volvieran hacia él mientras apoyaba los pies en el escritorio de madera desconchada.

—Una persona que no tiene que beber ginebra clandestina es el jefe Lionetti —continuó la voz, suave como un trago de suave whisky escocés que baja por una garganta seca. —Lleva haciendo contrabando desde antes de la ley seca, por la práctica.

—¿Es eso cierto? — Instó Russo, asintiendo. Los demás policías se reunieron a su alrededor a la espera de la siguiente profecía. — ¿Y qué podemos hacer con esta operación ilícita?

—Tiene un gran cargamento que llegará al final de la calle Montgomery mañana a las dos de la mañana. Unos cuantos miles de galones de licor para entregar a todos sus distribuidores de confianza. Todos sabemos que el contrabando va en contra de la ley de este gran país, ¿no es así, Russo?

—Bueno, todo el mundo debe tener un pasatiempo. Gracias, amigo. Después de esto, Lionetti deseará haberse dedicado a trepar postes para sentarse encima—. Colgó el auricular y se encontró con los ojos de los miembros de su escuadrón, un par a la vez, cada uno más abierto y ansioso que el otro. —Vayan a casa y duerman un poco. Luego, nos reuniremos todos al final de la calle Montgomery a las dos de la mañana. En punto. Y verán cómo se repite la historia porque nos han invitado a una recreación del Motín del té de Boston, ¡al estilo de Jersey!

~

Lo último que esperaba el jefe Lionetti era que ese Russo con cara de melocotón cerrara su operación de contrabando después de tanto tiempo.

—El mundo se derrumbará sobre esta ciudad si no actuamos—. Le habló con calma al capitán Murphy, con tanta calma que lo asustó. ¿Por qué no gritaba y golpeaba sus puños como siempre lo hacía? Eso lo podía manejar. Pero, cuando el jefe Lionetti hablaba con tanta calma y cuidado, con el puro encajado entre los gruesos labios mientras hablaba, Murphy entrecerraba los ojos, receloso.

Así que Murphy improvisó con lo que consideraba una lluvia de ideas:

—Ya lo tengo, jefe. Prepararemos un trabajo falso. Russo se dirigirá al lugar, y nada arruinará la entrega de esta noche. Lo enviaremos al otro lado de la comisaría, a la zona polaca si quiere.

—¿Estás bromeando? — El jefe Tony frunció el ceño. —Allí consideran un delito que un ama de casa no limpie bien su porche. Envíalo a la joyería de Bart. Dile que habrá un atraco y que él tiene que cubrirlo con su placa plateada y brillante y su calibre cuarenta y cinco.

Murphy extendió los dedos.

—Y cuando llegue allí, ¿qué se supone que harán los propietarios cuando él empiece a disparar primero y a hacer preguntas después?

—Nada—. El jefe Tony sonrió con suficiencia. —Estarán demasiado ocupados jugando al póquer en la sala de atrás para saber que él está allí.

Pero la voz suave como la seda le indicó a Frank Russo dónde debía estar. Llegó, hizo su trabajo y, una vez más, dejó estupefactos a todos, excepto a los empleados de la trastienda de la joyería Bart, cuya partida de póquer continuó sin interrupción durante toda la noche.

—Deshazte de él—, exigió el jefe Tony. —Ya es suficiente. He sido un buen tipo por demasiado tiempo. Si no te deshaces de él, lo haré yo.

El capitán Murphy observó en un silencio aturdido cómo el jefe Tony masticaba el cigarro entre sus dientes manchados.

—Estoy convencido de que tiene una fuente. Acabar con él no resolverá nada, jefe. Tenemos que encontrar su fuente. Es a quien debemos eliminar, no a él. Puedo echarlo, y no volveremos a saber de él. Los chicos de la comisaría me dicen que él recibe avisos anónimos, breves conversaciones de un minuto, solo fragmentos de diálogo, casi en código, y Russo los investiga. Pero ahí es donde estoy perplejo. ¿Quién puede ser?

El jefe Tony negó con la cabeza.

—No lo sé. Pero no voy a perder el tiempo jugando al detective Colombo. Te daré veinticuatro horas. También pondré a mis muchachos en ello—. Sus ojos miraron al capitán como dos bolas ocho, el blanco amarillento y opaco hacía juego con sus dientes como si fueran accesorios de vestuario.

—Claro, jefe. Ahora mismo me pongo a ello—. Murphy inclinó respetuosamente la cabeza y desapareció.

La hijastra del jefe Tony, Anna María, se acercó a él y le confesó sus sentimientos por el hombre que había conquistado su corazón: se llamaba Frank Russo.

—Es muy fuerte y guapo. Tiene pelo negro ondulado y hombros anchos, pómulos suaves, ojos verdes brillantes, y viste tan bien...

Tony se quitó el cigarro por primera vez desde las ocho de la mañana. Se inclinó hacia delante, extendió el brazo y le dio un golpe a María que la arrojó al otro lado de la habitación donde se estrelló contra la pared más lejana, con las manos extendidas para proteger su cara magullada.

—¡Estúpida!— explotó él, mirando más allá de ella por la ventana, con los ojos clavados en un árbol ralo que tenía un grotesco parecido con su hijastra mientras ella se acobardaba contra la pared. — ¡¿No ves lo que está tratando de hacer?! Quiere controlar mi imperio y ahora está arruinando tu reputación, ¡empleándote como conducto para mis asuntos! ¡Vete de aquí! ¡Ahora! — Anna María salió de la habitación de costado, sollozando agitada mientras llegaba a la puerta. — ¡Y, si vuelves a mencionar el nombre de Frank Russo, te meteré en un convento!

La voz sonaba un poco alterada, pero seguía conservando su cadencia fluida.

—Están tras de ti, cariño. Saben que tienes una fuente y están tratando de derrotarnos. ¿Ahora qué hacemos?

—Justo lo contrario de lo que esperan que hagamos: nada—. Frank Russo pulió un gemelo de oro y lo introdujo en el ojal de su manga, acunando el auricular entre el cuello y el hombro. —Solo dime si sabes de algo que ocurra esta noche.

—Bueno, sí, de hecho, lo sé. La Taberna de Dom es el lugar para estar esta noche. El alcalde Craig va a aceptar un buen soborno del contratista Scarlatti para esa nueva escuela. Esta noche, entre las siete y las nueve. Conoces su Duesenberg plateado, ¿no?

—Claro que sí. El alcalde, ¿eh? Tengo que estar ahí. No puedo sentarme a ver cómo mi ciudad cae en manos de un líder corrupto. Dile a la prensa que saque esas letras mayúsculas que usan para los titulares extragrandes. Nos vemos en la primera página.

El escuadrón observó a su líder. Las dos palabras «Alcalde Craig» fueron todo lo que tuvieron que oír. Atónitos, escucharon mientras el teniente les decía que sería capaz de resolver ese caso él mismo. Sería algo muy limpio, y fácil, también.

Jersey City se preparaba para unas nuevas elecciones a la alcaldía, y los puños del jefe Tony se cerraban con la suficiente fuerza como para aplastar a una rata de alcantarilla.

—¡Tus veinticuatro horas se acabaron hace mucho tiempo, amigo! — le espetó al capitán Murphy. —La hormigonera está lista para convertirlo en un giro a la derecha en Railroad Avenue. Y no voy a perder más tiempo. Nos está arruinando, gavone.

—Tranquilo, jefe —, trató de apaciguarlo el capitán Murphy con su sonrisa de pasta dental Colgate. —Tengo buenas noticias. Le va a encantar. Ayer despedí a Russo. Lo puse de patitas en la calle. Se va a Florida. Ya no tenemos nada de qué preocuparnos. Ahora, ¿qué tal si tomamos el ferry para cruzar el río y vamos a Umberto a por unos manicotti para celebrar? Yo invito.

Obviamente satisfecho, el jefe Tony sonrió; la luz brillaba en su calva como un faro.

—Buono, buono. Pero vamos a Calabrese. No te preocupes por pagar la cuenta allí.

—Tengo que invitarlo, jefe—. Murphy juntó las manos.

—Nunca pago en Calabrese—. Mostró una sonrisa de satisfacción.

—Entonces, ¿conoce al dueño? — Los ojos de Murphy se desorbitaron.

—Sí, muy bien—. Ladeó una ceja tupida. — ¡Lo estás mirando, estúpido!

Antes de que Frank Russo guardara su billete de tren a Miami en el bolsillo interior de su chaqueta, envió una tarjeta anónima de pésame a la familia del jefe Tony por una buena razón: el hombre moriría en doce horas.

—Calabrese—, había dicho la voz. —Para cenar.

No tenía que estar allí. Alguien haría el trabajo en su nombre. Ahora que casi todas las operaciones del jefe Tony estaban controladas, era momento de acabar de una vez por todas con el patriarca de aquella familia inexcusablemente corrupta. Esperaría hasta después de la cena. Dejaría que el hombre disfrutara de su último plato de manicotti, y entonces todo habría terminado. Otro viejo mafioso italiano desaparecido.

Bajó al incinerador y arrojó un paquete a las brasas. El paquete contenía su uniforme de policía.

Salió al patio trasero y celebró un entierro simbólico para su placa plateada, que se había deslustrado un poco en los bordes. Cavó un agujero y la colocó en su tumba, pronunciando un panegírico para el condenado cuerpo de policía.

«Sin mí, seguro que se desmoronan». Se quitó las partículas de suciedad de las manos y volvió a entrar para terminar de hacer la maleta.

Su llamada telefónica llegó exactamente a las ocho y dos minutos. El jefe Tony debería estar muerto desde hacía dos minutos.

—Está todo hecho—, dijo la voz rebosante de autocomplacencia.

—¿Está lleno de agujeros? — Preguntó Frank, extendiendo sus labios en una sonrisa.

—Como el queso suizo.

—Bien. —Sonrió satisfecho.

—Ahora todo va sobre ruedas, todos estamos esperando que entres y te hagas cargo... Jefe Frank.

—Gracias, Anna María. Pero primero nos vamos a Miami a pasar unas merecidas vacaciones.

"TENGO OTROS PLANES..."

—CON TU PERSONALIDAD y mi cerebro, haremos una fortuna. ¿Cómo podemos perder? ¡Esto es Houston! — Le espetó Ben Blanchard a Roy White señalando el elegante complejo Galleria, frente a la lujosa oficina de Roy. —Yo haré todo el marketing, tú harás todo el trabajo técnico, y nos forraremos antes de que puedas echar el lazo a un armadillo. Acéptalo, Roy, me necesitas. Y puedo poner este negocio en marcha más rápido que lo que tú tardas en tomar tu próximo avión a Cancún. ¿Qué te parece, entonces? Cuarenta y nueve por ciento de las acciones. ¿Es un trato? Recuperarás el gasto por mí con creces.

Roy tocó las elaboradas iniciales de la manga y juguetéo con su «juguete ejecutivo», cinco bolas que chasqueaban suspendidas de cuerdas, maravillosamente adheridas a las leyes de la física.

—Te diré algo, Ben —, comenzó, con un tono bajo y monótono. —Te daré el diez por ciento de los honorarios. Eso debería equivaler a la mitad de los beneficios, a veces más, a veces menos. Pero no puedo darte tantas acciones. Ya tengo tres accionistas y... — Respiró profundamente. —No puedo dar un paso así ahora—. Volvió sus envejecidos ojos hacia el enérgico buscavidas, viendo el entusiasmo puro. Roy sabía que el chico era una máquina. También conocía a bastantes personas de treinta y cinco años que se paseaban por el país haciendo dedo sin tener la más remota idea de cómo era una declaración de ingresos. Su hijo era uno de ellos.

—Lo entiendo—. Ben asintió. —Una décima parte de los beneficios es perfectamente aceptable—. Se cruzó de brazos. —Pero no puedes hacer todo el marketing y también todo el trabajo, Roy. Te estás matando. Necesitas...

—Muy bien, Ben—. Roy levantó la mano. —Diste tu argumento de venta y ya piqué. Ahora deja de parlotear sobre lo genial que eres y sal a producir.

Ben se llevó la mano derecha a la frente en un simulacro de saludo.

—A la orden, señor. Pero, antes de ir a comerme el mundo, ¿qué tal un último almuerzo de tres martinis para el camino?

Así comenzó la sociedad conocida en el mundo empresarial como White Enterprises, LLC. En apenas cuatro años, el encantador y dinámico Ben

Blanchard, vestido para el éxito, había cuadruplicado las ventas brutas de la empresa, lo que la había convertido en una de las quinientas empresas más importantes de Houston. Los cuantiosos beneficios les permitieron adquirir casas de gran tamaño, coches llamativos, viajes a Tahití y una publicación a todo color en la revista Texas Monthly.

Pero Ben Blanchard seguía siendo dueño de un mero diez por ciento de la empresa que había resucitado él solo.

—Vamos a cotizar en bolsa—, le sugirió a Roy un día, mientras volaban a San Antonio para inspeccionar una obra.

—¡Ni por asomo! — Roy, que acababa de comprar a sus otros tres socios, masticaba cacahuetes.

Decepcionado, Ben se encogió de hombros, se volteó para mirar por la ventana y siguió viviendo con su diez por ciento.

Hasta que su mujer empezó a acosarlo.

—Por el amor de Dios, Ben, ¿no ves lo que te está haciendo? No eres más que un recadero que va corriendo por toda la ciudad con este calor pegajoso, atascado en el tráfico, llevando a sus compinches a almuerzos de negocios. Contrata a más peones para que hagan su trabajo mientras él se queda sentado leyendo el Wall Street Journal y cosechando las ganancias de su noventa por ciento. Después de que le construyas una base de clientes lo suficientemente sólida, te va a arrancar ese diez por ciento al igual que hizo con sus otros socios. Lo quiere todo para él. Y nosotros nos quedaremos en la calle sin nada.

—Roy nunca haría una cosa así, Sybil—, replicó Ben, revisando cuidadosamente sus pantalones en busca de hilos sueltos. —Además, no es bueno para el marketing, y lo sabe. No tiene la personalidad necesaria para relacionarse y seducir como yo. No tiene recursos; nunca puede llegar a la gente adecuada. Por eso el negocio avanzaba a duras penas con un margen de beneficio del cinco por ciento antes de que yo llegara.

—Sí, y él se está llevando el quince por ciento ¡y tú solo recibes una décima parte de eso! Si eres un hombre de negocios tan inteligente, dile que quieres al menos otro veinte por ciento. ¡Por el amor de Dios, Ben, ¡hemos estado en la misma maldita rutina durante años! Si eres el cerebro de la organización, úsalo para variar. ¡Exige que te dé más!

Por una vez, él escuchó su incesante acoso; antes siempre lo había ignorado, y por eso nunca sabía cuál era su queja. Simplemente, se había limitado a darle un montón de tarjetas de crédito, hacía que su contable pagara las facturas e ignoraba sus quejas sobre el dinero.

«Quizá tenga razón» murmuró para sí mismo; era una costumbre de la infancia. Como era disléxico de niño, leía todo en voz alta. Luego empezó a expresar sus pensamientos, la mayoría de las veces sin darse cuenta. Sí, algo le decía que se detuviera y evaluara lo que ella había dicho. Al fin y al cabo, habían pasado cuatro años...

—Lo siento, Ben, pero no puedo—. Roy sacudió la cabeza; el tupé teñido y duro por el fijador brillaba a la luz del sol. —Empecé la empresa con el dinero de la familia, y tiene que seguir siendo así. Sabes que lo tendrás todo cuando... ya sabes.

—Vamos, Roy —, instó Ben. —Todavía estás en el lado bueno de los sesenta y cinco. Y aunque ambos trabajamos duro, ya deberías saber que no tendrías ninguno de estos clientes si no fuera por mi experta negociación y diplomacia.

—Sabes lo mucho que lo valoro, Ben, pero debo decir que no. Lo siento—. Roy se levantó de su sillón de cuero y salió al balcón por las puertas correderas de vidrio. Se asomó a la barandilla para contemplar la extensa ciudad que tenía debajo, un ritual que llevaba a cabo todos los mediodías.

—Si tú lo dices, Roy... —Ben giró sobre los talones y salió del despacho lentamente, con la mente ocupada en idear un plan B.

—Bueno, ¿le preguntaste? — imploró la esposa de Ben, siguiéndolo de cerca por el pasillo y hasta el dormitorio.

Él se quitó la chaqueta y se volvió hacia ella, mirándola a los ojos, que revelaban una innegable frustración.

—No te preocupes, cariño—. Le guiñó un ojo, aflojándose la corbata y quitándosela—. Tendrás todo lo que quieras. Solo dame algo de tiempo.

—¡Tiempo! Llevas cuatro años en esto y nunca...

—He dicho—, la cortó, haciendo crujir su corbata como un látigo a centímetros de su cara, —dame tiempo. Y no me vuelvas a molestar con esto, ¿me oyes?— Se alejó ofendido, abrió de un golpe la puerta del baño, se encerró dentro y se dio una ducha caliente.

~

Ben decidió dar una oportunidad más a su socio mayoritario para que le concediera más acciones antes de actuar. La respuesta fue la misma que en los últimos cuatro años:

—Lo siento, Ben, pero...

Se te acabó el tiempo , pensó Ben. Si lo lamentas ahora, espera a ver cuánto lo lamentarás después.

~

Ridgefield, Ltd., su mayor cliente, envió por avión a los dos socios y a sus esposas a la fiesta de Navidad de cada año, una elegante velada de cena y entretenimiento en el lujoso Hyatt Regency de Dallas. Mientras el presidente de Ridgefield hacía el tradicional brindis con champán, doscientos ejecutivos vestidos de esmoquin brindaban por otro próspero y rentable año nuevo.

Ben observó por el rabillo del ojo cómo su compañero daba un sorbo al burbujeante líquido. Otro sorbo, luego otro. Los ojos de Ben se abrieron de par en par cuando Roy empezó a jadear y a balbucear. Ben se apresuró a atrapar al hombre mayor cuando se desplomó, inconsciente.

La esposa de Roy gritó.

—¡Oh, Roy, no! Que alguien ayude a mi marido. ¡Creo que está teniendo un ataque al corazón!

Los paramédicos llegaron y llevaron a Roy al Hospital Parkland.

—Está bien, señora White—, tranquilizó Ben a la corpulenta mujer rubia que sollozaba en un pañuelo de encaje. «Se pondrá bien, estoy seguro»,murmuró, más para sí mismo que para la frenética mujer.

Roy vivió para ver el Año Nuevo, y Ben se pasó las vacaciones mirando sin prestar atención los partidos de fútbol en la televisión e ideando el Plan B-1.

«¡Sí, eso es!», pensó en voz alta, llenándose la boca de Doritos. «¡Tiene que funcionar!»

—¿Qué tiene que funcionar? — le preguntó su mujer, acostumbrada a que expresara sus pensamientos.

—Oh, nada—. Agitó una mano desdeñosa mientras los engranajes de su mente giraban. —Solo un nuevo concepto de marketing.

Ben no tenía mucho tiempo para ser imaginativo. Alquiló un sedán marrón corriente por unas noches y siguió todos los movimientos de Roy a partir de las cinco. Aparcó en una oscura calle lateral detrás del edificio de oficinas, se sentó en el asiento del conductor y esperó. Había elegido una época del año muy adecuada, a las cinco de la tarde la oscuridad era total. A las seis y treinta y cinco, el distinguido ejecutivo bajó la escalinata delantera como siempre; prefería rodear el edificio en lugar de utilizar la salida trasera.

«Ajá, ahí está, justo en el blanco», murmuró Ben. Sin dejar de mirar a su compañero, giró la llave de contacto, y el motor empezó a zumbar. Observando cómo Roy se dirigía hacia él, cambió a una marcha corta y soltó el freno. Bajó por la calle a una milla por hora, con los faros apagados. Todo lo que Roy podía oír era el zumbido de un motor lejano, mezclado con el rugido del tráfico en la carretera principal detrás de él.

Roy se acercó al garaje del edificio. Su coche estaba aparcado a unos quince metros de donde Ben lo había vigilado.

«¡Vamos, viejo, vamos, vamos!», instó Ben mientras Roy cruzaba la calle en diagonal, dirigiéndose a su coche.

«¡Ahora!», gritó una voz demoníaca, yl pisó a fondo el acelerador. Su cuerpo se arqueó hacia delante con el repentino bandazo del coche. Las luces pasaban a toda velocidad, deslumbrándolo. Mientras bajaba a toda velocidad por la calle, se dio cuenta de que no le había dado a Roy y que, sin faros ni luces traseras, no podía ver nada en la negra oscuridad que había detrás de él. Frenó de golpe a un metro de la concurrida intersección. El tráfico cruzaba a toda velocidad por la ajetreada calle de cuatro carriles.

«¡Maldita sea!», Golpeó el volante. «¡La he cagado!».

Roy se tomó el día siguiente libre y nunca mencionó el incidente. Ben devolvió el coche sin más que un poco de goma quemada en los neumáticos.

Ben planeó esperar un tiempo prudencial antes de iniciar el Plan B-2 para que nadie sospechara de las tendencias de Roy a los accidentes en los últimos tiempos.

Ben telefoneó a su mujer para decirle que estaría ocupado en reuniones, pero le contestó el buzón de voz. Después de haberle dejado un mensaje, esperó hasta las cinco y treinta, comió un sándwich en Subway y volvió a la oficina a las siete. Entró en el oscuro edificio, subió al segundo piso, encendió el interruptor de la luz del pasillo y entró en el despacho vacío de Roy. El teléfono empezó a sonar al entrar, pero sabía que atendería el contestador automático.

La persona que llamó dejó su nombre, número y hora de la llamada. Como no quería encender la luz de la oficina, Ben encendió su linterna de bolsillo y dirigió un débil haz de luz hacia el desordenado escritorio de Roy. El cono de luz escaneó el conjunto de bolígrafos, carpetas de archivos y pilas de Wall Street Journal. Levantó la linterna y la dirigió hacia las puertas correderas de vidrio. El reflejo le devolvió la luz como un faro. Dio un paso adelante, descorrió la cerradura y deslizó la puerta.

«Ajá». Se relamió con alegría. «¿Qué tal un poco de aire fresco, Roy?»

. . .

Colocando la linterna de lado para que brillara sobre la barandilla del balcón, cruzó la oficina para buscar la bolsa en la que había llevado las herramientas de su oficio: destornillador, alicates, llave inglesa. Al volver al balcón, tropezó y se estrelló de cabeza contra el escritorio de Roy. ¡El maldito cable del contestador automático! Tropezó y cayó de lleno sobre el contestador, y se golpeó la cabeza contra el tablero del escritorio, con los brazos extendidos para protegerse. El mecanismo zumbó en el interior del aparato mientras él soltaba una retahíla de maldiciones. Buscó a tientas en su bolso las sencillas herramientas que acabarían con Roy White... de forma permanente.

Al cabo de unos dos minutos, salió al balcón y, en la penumbra de la linterna, aflojó los tornillos que sujetaban la barandilla a la pared.

«Se acabó, socio», murmuró. «El veneno no te enterró y el coche no te aplastó, pero cuando te asomes a este balcón al mediodía», su carcajada siniestra resonó en la oficina vacía, «definitivamente, verás las nubes, excepto que las verás desde las puertas del Cielo».

Una vez terminada su tarea, cerró la corredera con llave y recogió sus herramientas. Con la misma sonrisa de oreja a oreja que había conquistado a muchos clientes, salió del edificio.

—Ven aquí, por favor—. La voz de Roy, un poco más áspera que de costumbre, delataba una inestabilidad que Ben nunca había detectado en el tono de su socio.

—¿Estás bien? — Ben entró corriendo en el despacho de Roy. — ¿Qué pasa? Parece que has visto un fantasma—. Y así era. Su rostro estaba más pálido que las páginas de su calendario abierto sobre el escritorio. El hombre parecía afligido.

—Se me acaba de ocurrir, Ben, que hubo algún juego sucio por aquí. Alguien quiere acabar conmigo —. Sus ojos se encontraron con los de Ben, cruzándose mientras se enfocaban.

Tensando los músculos para no temblar, Ben miró por la ventana y jugueteó con su corbata.

—Oh, vamos, Roy, has estado leyendo demasiadas novelas de misterio. Qué melodramático: «Alguien quiere acabar conmigo», imitó la voz de su socio, exagerando la cualidad de fatalidad y presagio. — ¿Quién querría hacer una cosa así y por qué?

Después de haber hablado, se arrepintió de haber formulado la pregunta de esa manera, sabiendo que se había expuesto a la respuesta que temía:

—¿Quién y por qué? — Roy miró a Ben con los ojos entrecerrados. Tú eres el quién, y el dinero es el por qué.

Él palideció.

—Roy, ¿cómo puedes...? — Maldita sea. Se maldijo por no haber ensayado eso. ¿Cómo reaccionar?, ¿debía sentirse insultado?, ¿herido?, ¿debía ponerse a la defensiva? Improvisó, simplemente dejando que Roy continuara.

—Empecé a sospechar después del intento de atropello, Ben, hijo mío. Esperaba, a Dios pongo por testigo, que no fueras tú; el hombre del que había dependido y en el que había confiado todos estos años. Esperaba que ese asqueroso dinero podrido no significara tanto para ti. Pero tenía que asegurarme. Después de todo, habías sido tan paciente y cooperativo hasta ahora, viviendo con tu diez por ciento. Pero, para asegurarme, contraté a alguien para que investigara estos extraños sucesos. Y se encontró algo—. Hizo una pausa. Ben contuvo la respiración.
—Pude captar el número de matrícula del sedán que casi me atropella, y estoy seguro de que puede ser rastreado hasta ti, sobre todo después de haber escuchado los improperios que proferiste cuando tropezaste con el cable de allí—, señaló el abominable cable negro que corría por el suelo hasta el maldito contestador automático, —y las frases incriminatorias que divulgaste cuando hiciste el trabajo sucio en el balcón. Accionaste el interruptor que activa la grabadora de mensajes y grabaste tu propia voz. Recuperé dos mensajes en el contestador, uno directamente antes y otro directamente después de tu irrupción. Uno fue a las siete y cinco y el otro a las siete y quince, lo que te dio exactamente diez minutos para tender tu trampa y huir. Deberías tratar

de confinar tus pensamientos a tu mente, Ben, y asegurarte de que está en orden antes de usar tu lengua porque esta vez sí que te atrapé—. Conmocionado, Ben se hundió en la silla más cercana, incapaz de encontrar los ojos de su socio. —Pero, no voy a presentar cargos, Ben. Me perjudicaría a mí mismo si lo hiciera. Has tenido razón todo el tiempo, amigo mío. Te necesito para este negocio. Sé que has estado haciendo un trabajo fantástico. De hecho, iba a darte otro veinticinco por ciento de la empresa en Navidad para concederte por fin tu deseo. Y, si crees que miento, pregúntale a mi mujer. Ella inscribió la moción en el libro de la empresa. Pero, no, tú me querías muerto para quedarte con todo, no solo con un mísero veinticinco por ciento. No podías esperar unos años más hasta que falleciera para conseguirlo todo. Tenía que ser ahora—. La humedad fría se filtraba a través de la chaqueta del traje de Ben. Nunca había sudado así. Se estremeció. Los ojos de Roy se clavaron en él. —Sí, Ben, voy a mantenerte como socio. De hecho, voy a darte ese veinticinco por ciento en Navidad. Porque sé que eres un gran trabajador y no estaría en ninguna parte sin ti. Tampoco estaría en ninguna parte si tus planes no hubieran fracasado, pero eso no viene al caso. Ahora, escribí una nota concisa que está en manos de mi abogado. Dice que tú, Benjamin Blanchard, has intentado matarme en tres ocasiones distintas. La cinta incriminatoria está con la nota. Dice además que, si me encuentro con mi muerte de cualquier forma que se parezca a un juego sucio o resulta sospechosa, que se contacte inmediatamente con la Policía y se te acuse de mi asesinato. ¿Tienes algo más que decir, Ben? — Ben sacudió la cabeza; el entumecimiento se extendía hasta las raíces del cabello. Pateó el cable, ese odioso cable, como si fuera una cucaracha. — ¿Y bien? — Los labios de Roy se abrieron en una media sonrisa, media mueca. — ¿Qué tienes que decir en tu defensa?

Ben frunció los labiosy murmuró entre dientes fuertemente apretados:

—Me atrapaste, socio. A partir de este momento, voy a pasar página y me arrepentiré. Que tú,y Dios, me perdonen.

A las dos de la mañana del día siguiente, una figura sombría salió de debajo del Mercedes de Roy White. Se limpió la grasa de las manos y se giró hacia la corpulenta mujer rubia platino que estaba a su lado, envuelta en una bata acolchada.

—La mitad ahora, la mitad cuando el trabajo esté terminado—, susurró él, aunque eran las únicas dos personas en la calle vacía.

Ella le entregó un sobre abultado.

—Nos vemos mañana para la otra mitad, Lou —, murmuró. Se dio la vuelta y entró en su casa.

~

El policía llegó a la puerta de Ben Blanchard justo después de su segunda taza de café a la mañana siguiente.

Ben se quedó atónito al ver los dos imponentes uniformados que bloqueaban la luz en su puerta.

—Policía de Houston.

—¿De qué se trata todo esto, oficiales?— El corazón de Ben martilleaba.

—¿Señor Benjamin Blanchard?— Preguntó el más corpulento de los dos, mostrando su placa.

—Sí...

—Roy White fue asesinado anoche cuando sus frenos fallaron en la rotonda de la 610. Queda arrestado por su asesinato. Bill, léele sus derechos.

Querido lector,

Esperamos que hayas disfrutado leyendo *Asesinato a la luz de la luna*. Tómese un momento para dejar una reseña, incluso si es breve. Tu opinión es importante para nosotros.

Atentamente,

Diana Rubino y el equipo de Next Chapter

Asesinato A La Luz De La Luna
ISBN: 978-4-82410-259-1
Edición de Letra Grande

Publicado por
Next Chapter
1-60-20 Minami-Otsuka
170-0005 Toshima-Ku, Tokyo
+818035793528

7 septiembre 2021

Lightning Source UK Ltd.
Milton Keynes UK
UKHW011851200921
390927UK00001B/135